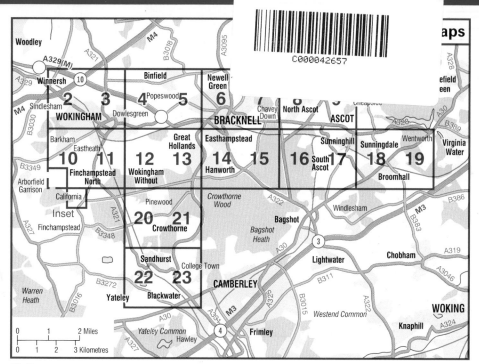

Reference

Motorway	**M3**
A Road	A330
B Road	B3430
Dual Carriageway	
One-way Street Traffic flow on A Roads is also indicated by a heavy line on the driver's left	→
Restricted Access	
Pedestrianized Road	
Track & Footpath	
Residential Walkway	

Railway	Level Crossing / Station
Built-up Area	MILL / LA
Local Authority Boundary	— · —
Postcode Boundary	
Map Continuation	8
Car Park (selected)	P
Church or Chapel	†
Fire Station	■
Hospital	H
House Numbers A & B Roads only	79 / 24
Information Centre	i

National Grid Reference	485
Police Station	▲
Post Office	★
Toilet with facilities for the Disabled	▽ / ♿
Educational Establishment	
Hospital or Hospice	
Industrial Building	
Leisure or Recreational Facility	
Place of Interest	
Public Building	
Shopping Centre or Market	
Other Selected Buildings	

Scale

1:15,840
4 inches to 1 mile

0 — ¼ — ½ Mile
0 — 250 — 500 — 750 Metres

6.31 cm to 1km
10.16 cm to 1mile

Copyright of Geographers' A-Z Map Company Limited

Head Office :
Fairfield Road, Borough Green, Sevenoaks, Kent TN15 8PP
Tel: 01732 781000 (General Enquiries & Trade Sales)
Showrooms :
44 Gray's Inn Road, London WC1X 8HX
Tel: 020 7440 9500 (Retail Sales)
www.a-zmaps.co.uk

Ordnance Survey

EDITION 4 2002

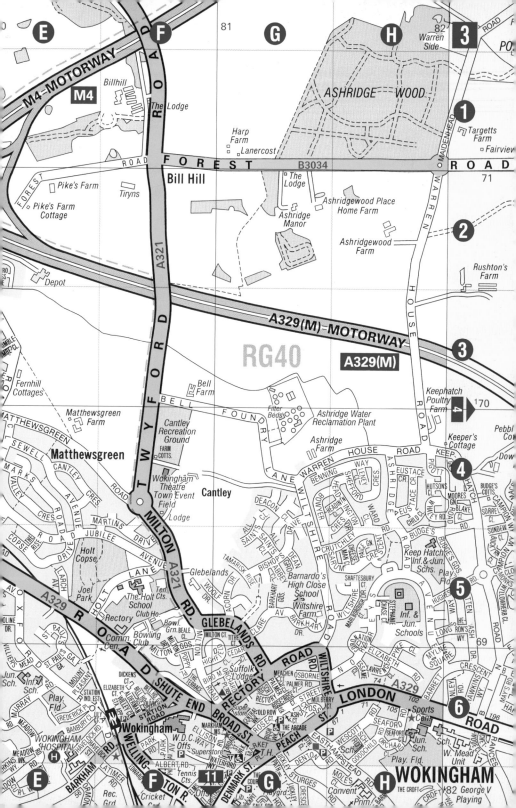

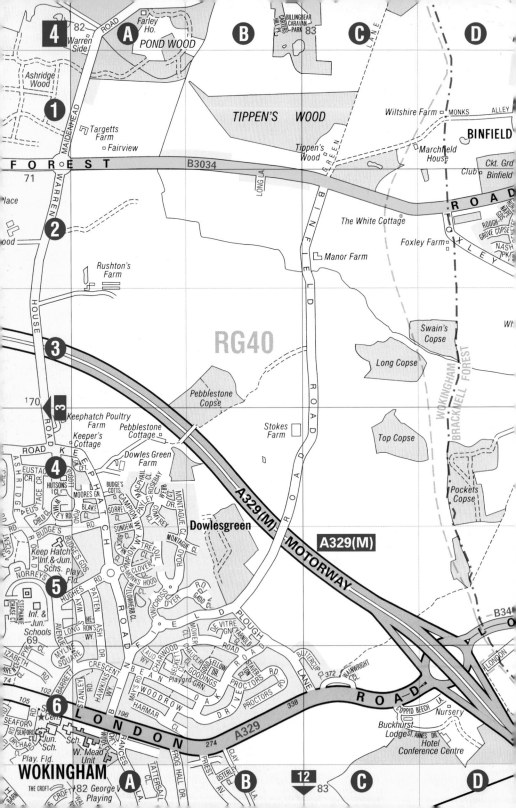

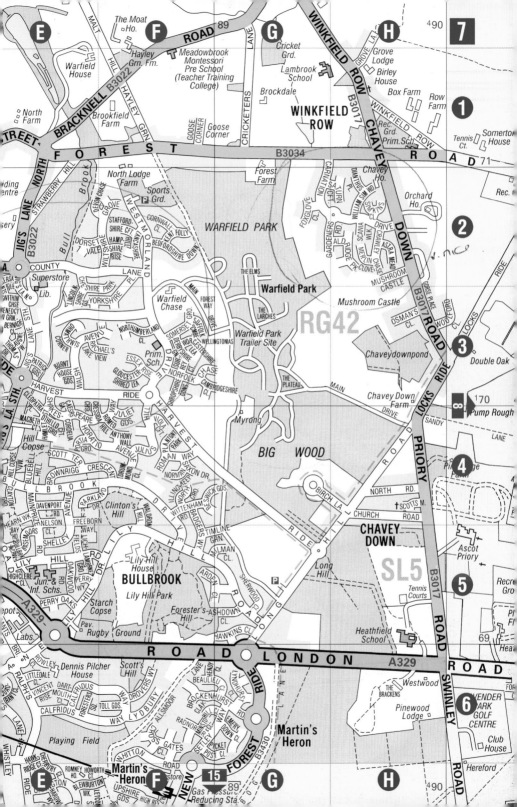

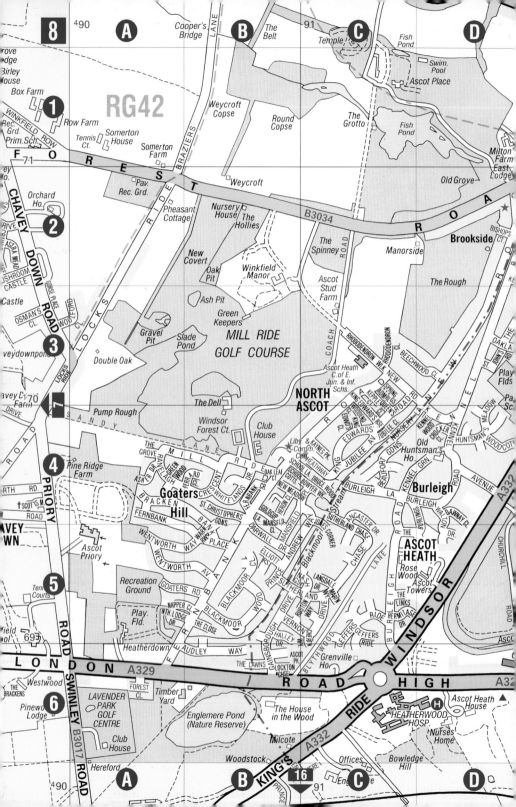

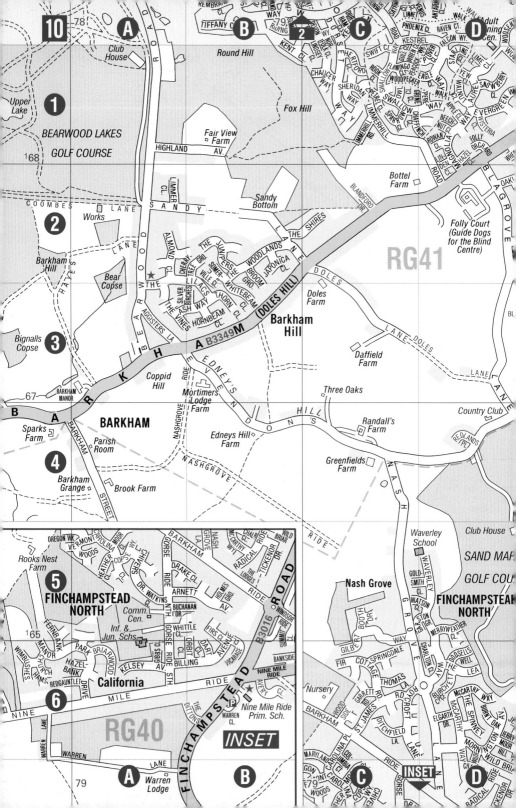

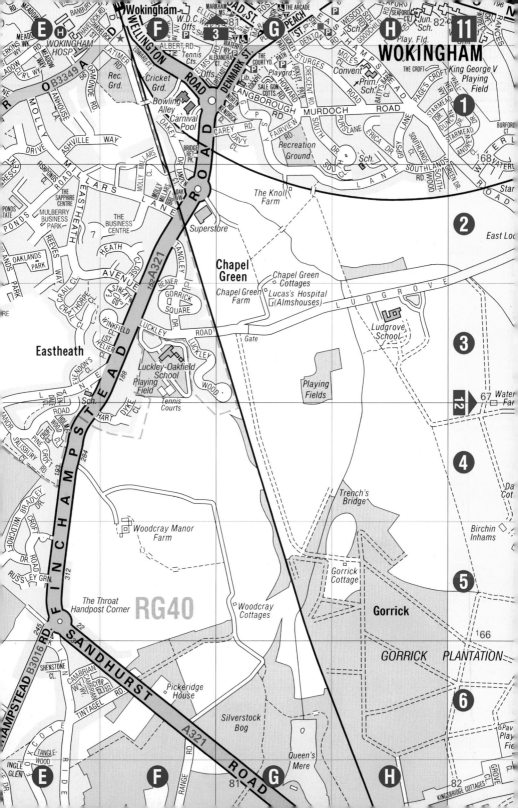

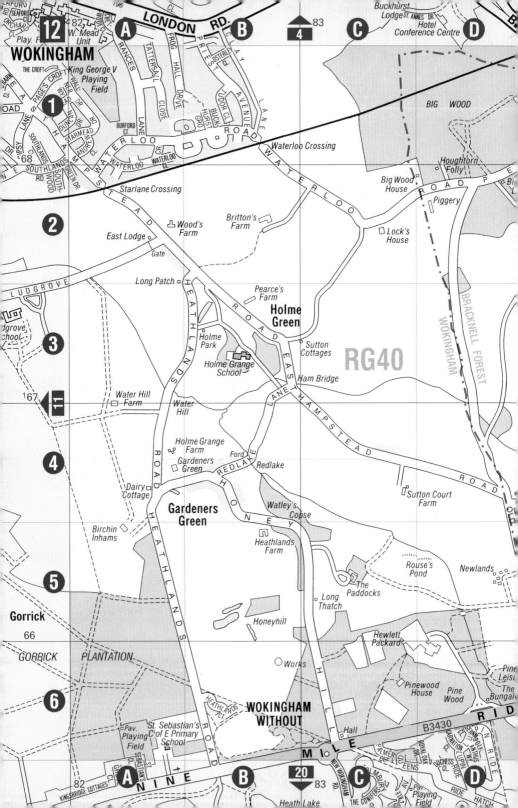

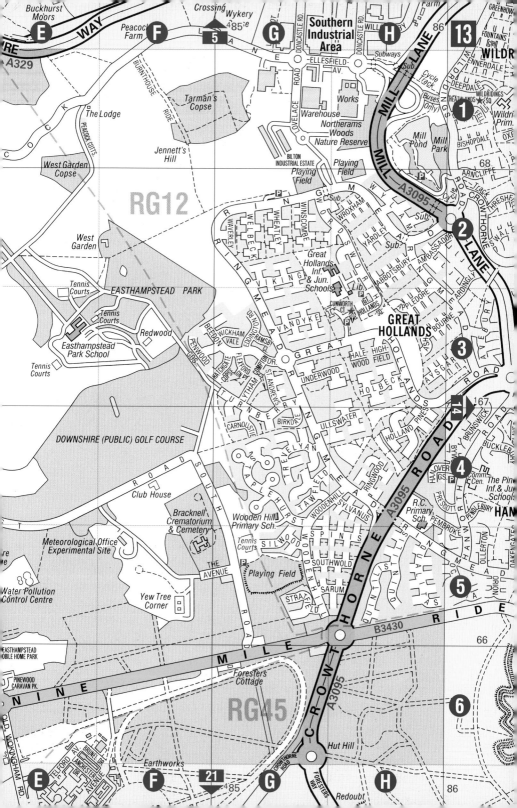

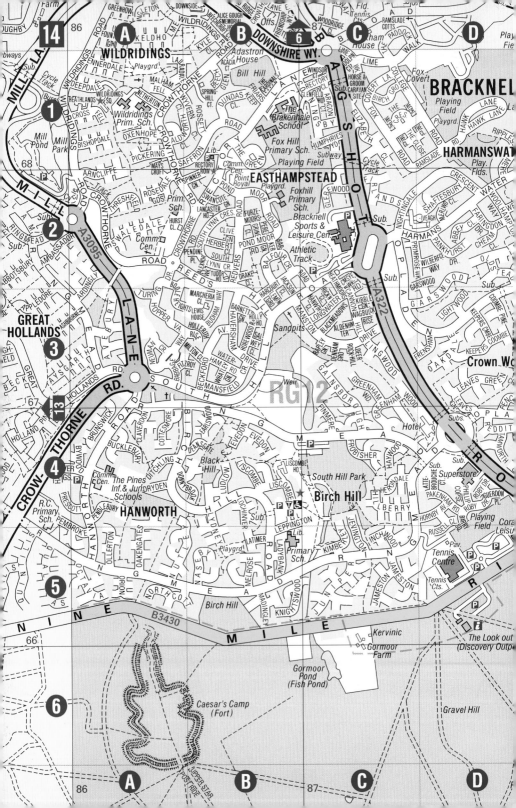

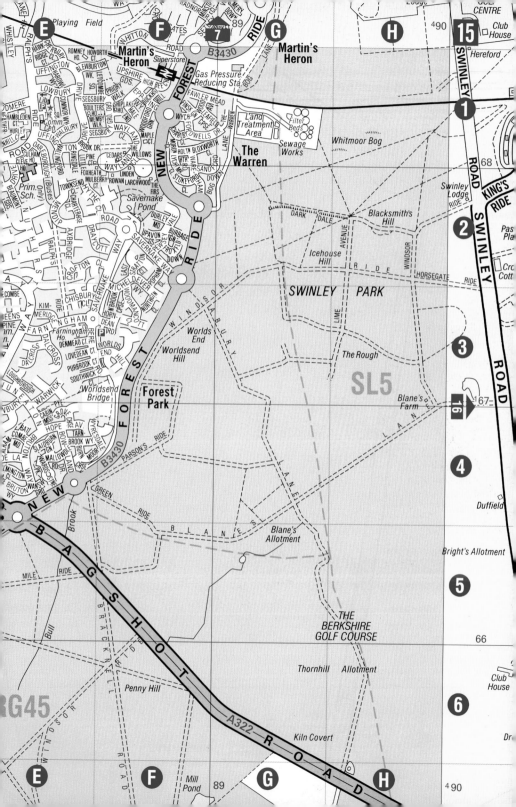

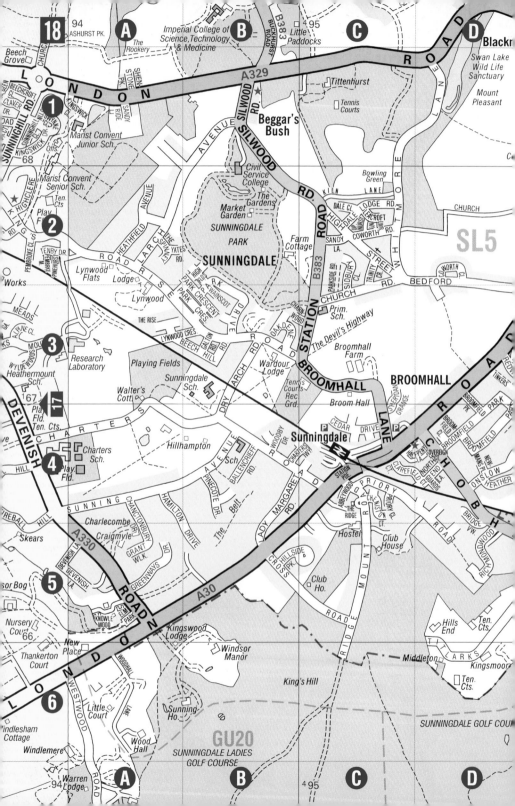

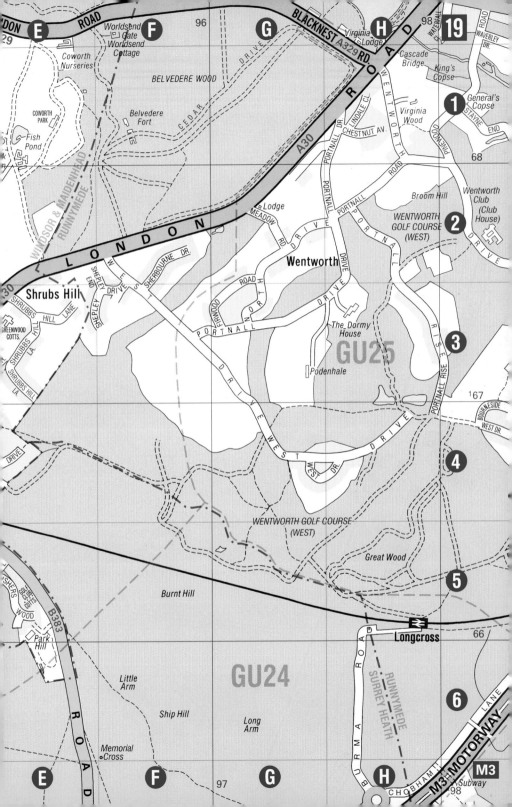

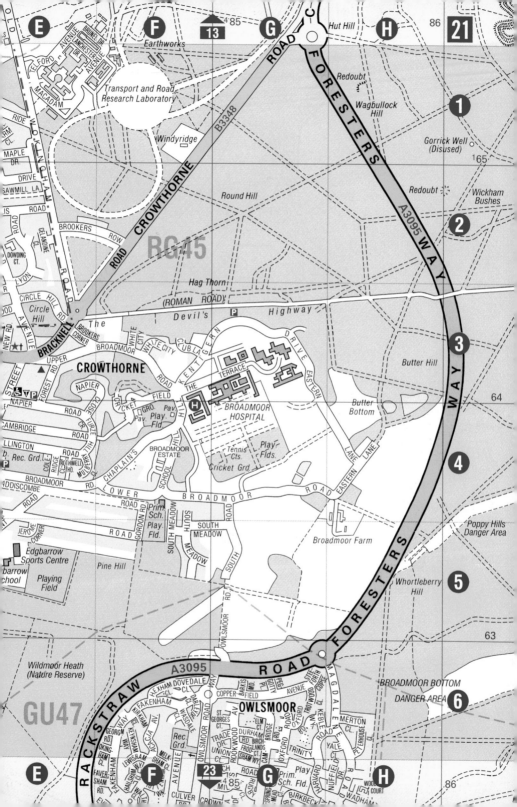

INDEX

Including Streets, Places & Areas, Hospitals & Hospices, Industrial Estates, Selected Flats & Walkways and Selected Places of Interest.

HOW TO USE THIS INDEX

1. Each street name is followed by its Posttown or Postal Locality and then by its map reference; e.g. Abingdon Rd. *Sand* —2E **23** is in the Sandhurst Posttown and is to be found in square 2E on page **23**. The page number being shown in bold type.
A strict alphabetical order is followed in which Av., Rd., St., etc. (though abbreviated) are read in full and as part of the street name; e.g. Bayley Ct. appears after Bay Ho. but before Bay Rd.

2. Streets and a selection of Subsidiary names not shown on the Maps, appear in the index in *Italics* with the thoroughfare to which it is connected shown in brackets; e.g. *Crowthorne Lodge. Brack —1B* **14** *(off Crowthorne Rd.)*

3. Places and areas are shown in the index in **bold type**, the map reference to the actual map square in which the Town or Area is located and not to the place name; e.g. **Ascot. —6E 9**

4. An example of a selected place of interest is Ascot Racecourse. —5D 8

5. An example of a hospital or hospice is BROADMOOR HOSPITAL. —4F 21

GENERAL ABBREVIATIONS

All : Alley	Ct : Court	Lit : Little	Rd : Road
App : Approach	Cres : Crescent	Lwr : Lower	Shop : Shopping
Arc : Arcade	Cft : Croft	Mc : Mac	S : South
Av : Avenue	Dri : Drive	Mnr : Manor	Sq : Square
Bk : Back	E : East	Mans : Mansions	Sta : Station
Boulevd : Boulevard	Embkmt : Embankment	Mkt : Market	St : Street
Bri : Bridge	Est : Estate	Mdw : Meadow	Ter : Terrace
B'way : Broadway	Fld : Field	M : Mews	Trad : Trading
Bldgs : Buildings	Gdns : Gardens	Mt : Mount	Up : Upper
Bus : Business	Gth : Garth	Mus : Museum	Va : Vale
Cvn : Caravan	Ga : Gate	N : North	Vw : View
Cen : Centre	Gt : Great	Pal : Palace	Vs : Villas
Chu : Church	Grn : Green	Pde : Parade	Vis : Visitors
Chyd : Churchyard	Gro : Grove	Pk : Park	Wlk : Walk
Circ : Circle	Ho : House	Pas : Passage	W : West
Cir : Circus	Ind : Industrial	Pl : Place	Yd : Yard
Clo : Close	Info : Information	Quad : Quadrant	
Comn : Common	Junct : Junction	Res : Residential	
Cotts : Cottages	La : Lane	Ri : Rise	

POSTTOWN AND POSTAL LOCALITY ABBREVIATIONS

Asc : Ascot	*Eve* : Eversley	*Sind* : Sindlesham	*Wink* : Winkfield
B'ham : Barkham	*Farnb* : Farnborough	*S Asc* : South Ascot	*Wink R* : Winkfield Row
Binf : Binfield	*Finch* : Finchampstead	*S'dale* : Sunningdale	*Winn* : Winnersh
B'water : Blackwater	*Hurst* : Hurst	*S'hill* : Sunninghill	*Wok* : Woking
Brack : Bracknell	*L Sand* : Little Sandhurst	*Vir W* : Virginia Water	*Wokgm* : Wokingham
Camb : Camberley	*N Asc* : North Ascot	*Warf* : Warfield	*Woos* : Woosehill
Chob : Chobham	*Owl* : Owlsmoor	*Warf P* : Warfield Park	*Yat* : Yateley
Col T : College Town	*Ryl M* : Royal Military Academy	*Wel C* : Wellington College	
Crowt : Crowthorne	*Sand* : Sandhurst	*W'sham* : Windlesham	

INDEX

Abbey Clo. *Brack* —2D **14**
Abbey Clo. *Wokgm* —5G **3**
Abbeywood. *S'dale* —4C **18**
Abbotsbury. *Brack* —2H **13**
Abingdon Rd. *Brack* —2E **15**
Abingdon Rd. *Sand* —2E **23**
Abury La. *Brack* —3F **15**
Acacia Av. *Owl* —1F **23**
Acacia Ct. *Brack* —1B **14**
Ackrells Mead. *Sand* —1B **22**
Acorn Dri. *Wokgm* —5G **3**
Acorn Rd. *B'water* —5D **22**
Addiscombe Rd. *Crowt* —4E **21**
Admiral Kepple Ct. *Asc* —3C **8**
Admiralty Way. *Camb* —6H **23**
Agar Cres. *Brack* —3B **6**
Agate Clo. *Wokgm* —5C **2**
Aggisters La. *Wokgm* —3A **10**
Agincourt. *Asc* —6G **9**
Agincourt Clo. *Wokgm* —6C **2**
Alben Rd. *Binf* —1E **5**
Albert Rd. *Brack* —4B **6**
Albert Rd. *Crowt* —3D **20**
Albert Rd. *Wokgm* —1F **11**
Albert Wlk. *Crowt* —3D **20**
Albion Rd. *Sand* —3D **22**
Alcot Clo. *Crowt* —4D **20**
Aldenham Ter. *Brack* —3C **14**
Alderbrook Clo. *Brack* —4A **20**
Alderman Willey Clo. *Wokgm* —6F **3**
Alderney Gdns. *Winn* —2B **2**

Aldridge Pk. *Wink R* —2H **7**
Aldworth Clo. *Brack* —1A **14**
Aldworth Gdns. *Crowt* —3C **20**
Alexander Wlk. *Brack* —2B **14**
Alexandra Ct. *Wokgm* —1G **11**
Alice Gough Homes. *Brack* —6B **6**
Allenby Rd. *Camb* —4H **23**
Allendale Clo. *Sand* —6C **20**
Allnatt Av. *Winn* —3A **2**
All Saints Clo. *Wokgm* —5G **3**
All Saints Ri. *Warf* —3D **6**
Allsmoor La. *Brack* —6F **7**
All Soul's Rd. *Asc* —1E **17**
Almond Clo. *Wokgm* —2A **10**
Alpine Clo. *Asc* —3H **17**
Alton Ride. *B'water* —4E **23**
Ambarrow Cres. *Sand* —1B **22**
Ambarrow La. *Sand* —6A **20**
Ambassador. *Brack* —2H **13**
Amen Corner. —6F 5
Amen Corner Bus. Pk. *Brack* —6F **5**
(Beehive Rd.)
Amen Corner Bus. Pk. *Brack* —5G **5**
(Cain Rd.)
Amethyst Clo. *Wokgm* —5B **2**
Ancaster Dri. *Asc* —4C **8**
Anders Corner. *Brack* —4H **5**
Andover Rd. *B'water* —4E **23**
Andrew Clo. *Wokgm* —1A **12**
Angel Pl. *Binf* —2E **5**
Anneforde Pl. *Brack* —3A **6**

Annesley Gdns. *Winn* —2A **2**
Antares Clo. *Wokgm* —6D **2**
Anthony Wall. *Warf* —4F **7**
Apple Clo. *Wokgm* —1D **10**
Appledore. *Brack* —3H **13**
Appletree Pl. *Brack* —4A **6**
Apple Tree Way. *Owl* —1F **23**
Apsey Ct. *Binf* —3G **5**
Aquila Clo. *Wokgm* —6C **2**
Aragon Ct. *Brack* —1C **14**
Arbor La. *Winn* —1A **2**
Arcade, The. *Wokgm* —6G **3**
Arden Clo. *Brack* —5F **7**
Ardingly. *Brack* —3A **14**
Ardwell Clo. *Crowt* —3A **20**
Arenal Dri. *Crowt* —5D **20**
Argent Ter. *Col T* —2G **23**
Arkwright Dri. *Brack* —5F **5**
Arlington Bus. Pk. *Brack* —5A **6**
Arlington Clo. *Brack* —4A **6**
Arlington Sq. *Brack* —5A **6**
Armitage Ct. *Asc* —3G **17**
Arncliffe. *Brack* —2A **14**
Arnett Av. *Finch* —5A **10**
Arthur Rd. *Wokgm* —6E **3**
Arthurstone Birches. *Binf* —1F **5**
Arun Clo. *Winn* —3A **2**
Ascot. —6E 9
Ascot Heath. —5D 8
Ascot Pk. *Asc* —6B **8**
Ascot Racecourse. —5D **8**

Ascot Wood Pl. *Asc* —6E **9**
Ashbourne. *Brack* —3H **13**
Ash Clo. *B'water* —5E **23**
Ash Ct. *Wokgm* —6G **3**
Ashdown Clo. *Brack* —5G **7**
Asher Dri. *Asc* —4A **8**
Ashfield Grn. *Yat* —5B **22**
Ashley Dri. *B'water* —6E **23**
Ashridge Grn. *Brack* —4B **6**
Ashridge Rd. *Wokgm* —4H **3**
Ashton Rd. *Wokgm* —3D **2**
Ashurst Pk. *Asc* —6H **9**
Ashville Way. *Wokgm* —1E **11**
Ash Way. *Wokgm* —3A **10**
Aspin Way. *B'water* —5D **22**
Astley Clo. *Wokgm* —5D **2**
Astor Clo. *Winn* —1B **2**
Astra Mead. *Wink R* —2H **7**
Atrebatti Rd. *Sand* —1E **23**
Attebrouche Ct. *Brack* —4D **14**
Atte La. *Warf* —2C **6**
Audley Way. *Asc* —6B **8**
Augustine Wlk. *Warf* —3E **7**
Avebury. *Brack* —3A **14**
Avenue, The. *Asc* —3D **8**
Avenue, The. *Crowt* —2C **20**
Avenue, The. *Wokgm* —5G **3**
Avery Clo. *Finch* —6B **10**
Avocet Cres. *Col T* —2F **23**
Avon Ct. *Binf* —2E **5**
Avon Gro. *Brack* —3C **6**

Axbridge. *Brack* —2E **15**
Aysgarth. *Brack* —3H **13**
Azalea Clo. *Winn* —2A **2**

Babbage Way. *Brack* —3A **14**
Back Dri. *Crowt* —6A **20**
Bacon Clo. *Col T* —3F **23**
Badgers Sett. *Crowt* —3B **20**
Badgers Way. *Brack* —4F **7**
Bagshot Rd. *Asc* —6F **17**
Bagshot Rd. *Brack & Crowt* —6B **6**
Baileys Clo. *B'water* —6E **23**
Balfour Cres. *Brack* —2B **14**
Balintore Ct. *Col T* —2F **23**
Ballencrieff Rd. *Asc* —4B **18**
Balliol Way. *Owl* —1G **23**
Banbury. *Brack* —4E **15**
Banbury Clo. *Wokgm* —6E **3**
Bankside. *Finch* —6B **10**
Bannister Gdns. *Yat* —5B **22**
Barker Grn. *Brack* —2B **14**
Barkham. —4A 10
Barkham Hill. —3B 10
Barkham Mnr. *B'ham* —3A **10**
Barkham Rd. *Wokgm* —4A **10**
Barkham St. *B'ham* —4A **10**
Barkhart Dri. *Wokgm* —5G **3**
Barkhart Gdns. *Wokgm* —5G **3**
Barkis Mead. *Owl* —6G **21**
Barley Mead. *Warf* —3E **7**
Barn Clo. *Brack* —5D **6**
Barnett Ct. *Brack* —5D **6**
Barnett Grn. *Brack* —3B **14**
Barn Fld. *Yat* —5A **22**
Barracane Dri. *Crowt* —3C **20**
Barrett Cres. *Wokgm* —6H **3**
Barry Sq. *Brack* —4E **7**
Bartholomew Pl. *Warf* —3E **7**
Bartons Dri. *Yat* —6A **22**
Barwell Clo. *Crowt* —3B **20**
Basemoors. *Brack* —5E **7**
Batcombe Mead. *Brack* —4E **15**
Bathurst Rd. *Winn* —2A **2**
Batty's Barn Clo. *Wokgm* —1H **11**
Bay Dri. *Brack* —5E **7**
Bay Ho. *Brack* —5E **7**
Bayley Ct. *Winn* —3A **2**
Bay Rd. *Brack* —4E **7**
Beale Clo. *Wokgm* —5F **3**
Bean Oak Rd. *Wokgm* —6A **4**
Bearwood Lakes Golf Course —1A **10**
Bearwood Rd. *Sind & Wokgm* —5A **2**
Beaufort Gdns. *Asc* —4C **8**
Beaulieu Clo. *Brack* —6F **7**
Beaulieu Gdns. *B'water* —5E **23**
Beaulieu Ho. *Binf* —2E **5**
Beaumont Gdns. *Brack* —2E **15**
Beaver Clo. *Wokgm* —3F **11**
Beaver La. *Yat* —5A **22**
Beckett Clo. *Wokgm* —6A **4**
Beckford Av. *Brack* —3B **14**
Beckford Clo. *Wokgm* —3D **2**
Bedford Gdns. *Wokgm* —5D **2**
Bedford La. *Asc* —2D **18**
Bedfordshire Down. *Warf* —2F **7**
Bedfordshire Way. *Wokgm* —6B **2**
Beechbrook Av. *Yat* —5A **22**
Beechcroft Clo. *Asc* —1H **17**
Beechcroft Ct. *Brack* —6B **6**
Beech Dri. *B'water* —6F **23**
Beech Glen. *Brack* —1B **14**
Beech Hill Rd. *Asc* —3B **18**
Beechnut Clo. *Wokgm* —1D **10**
Beechnut Dri. *B'water* —4D **22**
Beech Ride. *Sand* —2D **22**
Beechwood Clo. *Asc* —3C **8**
Beedon Dri. *Brack* —3F **13**
Beehive La. *Binf* —5E **5**
Beehive Rd. *Binf* —4F **5**
Beggar's Bush. —1B 18
Belfry M. *Sand* —2B **22**
Bell Foundry La. *Wokgm* —3F **3**
Bell Ho. Gdns. *Wokgm* —6F **3**
(in two parts)
Bell La. *B'water* —5E **23**
Belmont Rd. *Crowt* —2D **20**
Bembridge Ct. *Crowt* —4A **20**
Benbricke Grn. *Brack* —3A **6**
Benedict Grn. *Warf* —3E **7**
Benetfeld Rd. *Binf* —2D **4**
Bennings Clo. *Brack* —3A **6**
Benson Rd. *Crowt* —3B **20**
Bere Rd. *Brack* —3E **15**

Berkshire Ct. *Brack* —5H **5**
Berkshire Golf Course, The. —5H **15**
Berkshire Way. *Wokgm & Brack*
—6D **4**
Bernadine Clo. *Warf* —3E **7**
Bernersh Clo. *Sand* —1E **23**
Berrybank. *Col T* —4G **23**
Berrycroft. *Brack* —4D **6**
Beryl Clo. *Wokgm* —5C **2**
Beswick Gdns. *Brack* —4F **7**
Big Barn Gro. *Brack* —3D **6**
Bill Hill. —1F 3
Billing Av. *Finch* —6A **10**
Billingbear Cvn. Pk. *Wokgm* —1B **4**
Bilton Ind. Est. *Brack* —1G **13**
Binfield. —2E 5
Binfield Rd. *Binf & Brack* —2H **5**
Binfield Rd. *Wokgm* —6A **4**
Binsted Dri. *B'water* —5F **23**
Birch Ct. *Wokgm* —3B **20**
Birch Dri. *B'water* —6F **23**
Birches, The. *B'water* —5D **22**
Birchetts Clo. *Brack* —4B **6**
Birch Gro. *Brack* —1C **14**
Birch Hill. —4C 14
Birch Hill Rd. *Brack* —4B **14**
Birchlands Ct. *Sand* —6G **21**
Birch La. *Asc* —4G **7**
Birchmead. *Winn* —2B **2**
Birch Rd. *Finch* —5B **10**
Birch Side. *Crowt* —2B **20**
Bird M. *Wokgm* —6F **3**
Birdwood Rd. *Col T* —3H **23**
Birkbeck Pl. *Owl* —1G **23**
Birkdale. *Brack* —4G **13**
Bishopdale. *Brack* —1A **14**
Bishops Ct. *Asc* —2D **8**
Bishop's Dri. *Wokgm* —5G **3**
Bittern Clo. *Col T* —2F **23**
Blackbird Clo. *Col T* —2F **23**
Blackcap Pl. *Col T* —2G **23**
Blackmeadows. *Brack* —3C **14**
Blackmoor Clo. *Asc* —5B **8**
Blackmoor Wood. *Asc* —5B **8**
Blacknest. —1D 18
Blackwater. —6G 23
Blackwater Ind. Est. *B'water* —5G **23**
Blackwater Valley Rd. *Camb* —6H **23**
Blagrove Dri. *Wokgm* —2D **10**
Blagrove La. *Wokgm* —2D **10**
Blake Clo. *Crowt* —4E **21**
Blake Clo. *Wokgm* —4A **4**
Blamire Dri. *Binf* —2H **5**
Blandford Dri. *Wokgm* —2C **10**
Blane's La. *Brack & Asc* —5F **15**
Blenheim Clo. *Wokgm* —6C **2**
Blenning Way. *Wokgm* —4G **3**
Blewburton Wlk. *Brack* —1E **15**
Blomfield Dale. *Brack* —5F **5**
Bloomfield Dri. *Brack* —3D **6**
Bloomsbury Way. *B'water* —6E **23**
Blount Cres. *Binf* —3G **5**
Bloxworth Clo. *Brack* —1E **15**
Bluebell Hill. *Brack* —4E **7**
Bluebell Mdw. *Winn* —1A **2**
Blue Coat Wlk. *Brack* —2D **14**
Bluethroat Clo. *Col T* —2G **23**
Blythewood La. *Asc* —6C **8**
Boden's Ride. *Asc* —6B **16**
(in two parts)
Bog La. *Brack* —2F **15**
Boltons La. *Binf* —2G **5**
Bond Way. *Brack* —4B **6**
Boole Heights. *Brack* —3A **14**
Booth Dri. *Finch* —5C **10**
Bouldish Farm Rd. *Asc* —2D **16**
Boulters Ho. *Brack* —1E **15**
Boundary Vs. *B'water* —6G **23**
Bourneside. *Vir W* —4H **19**
Bowden Rd. *Asc* —2G **17**
Bowland Dri. *Brack* —4E **15**
Bowman Rd. *Wel C* —4B **20**
Bowyer Cres. *Wokgm* —4G **3**
Bowyer Wlk. *Asc* —4C **8**
Boxford Ridge. *Brack* —6B **6**
Boyd Ct. *Brack* —4A **6**
Bracebridge. *Camb* —5H **23**
Bracken Bank. *Asc* —4A **8**
Brackens, The. *Asc* —6H **7**
Brackens, The. *Crowt* —1C **20**
Bracknell. —5C 6
Bracknell Beeches. *Brack* —6B **6**
Bracknell Enterprise Cen. *Brack*
—5A **6**

Bracknell Rd. *Crowt* —5F **15**
(Bagshot Rd.)
Bracknell Rd. *Crowt* —3E **21**
(Duke's Ride)
Bracknell Rd. *Warf* —1E **7**
Bradfields. *Brack* —2D **14**
Bradley Dri. *Wokgm* —4E **11**
Braeside. *Brack* —5E **5**
Bramblegate. *Crowt* —2C **20**
Brambles, The. *Crowt* —2A **20**
Bramley Ct. *Crowt* —4A **20**
Bramley Gro. *Crowt* —3A **20**
Bramley La. *B'water* —5D **22**
Bransome Hill Rd. *Col T* —3G **23**
Brants Bri. *Brack* —5E **7**
Braybrooke Rd. *Brack* —3B **6**
Braye Clo. *Sand* —1E **23**
Braziers La. *Wink R* —1B **8**
Bredon Rd. *Wokgm* —3D **2**
Breech, The. *Col T* —3G **23**
Briarwood. *Finch* —6A **10**
Brickfield Cotts. *Crowt* —5B **20**
Brickfields Ind. Pk. *Brack* —5H **5**
Bri. Retail Pk. *Wokgm* —1F **11**
Bridge Rd. *Asc* —2H **17**
Bridges Clo. *Wokgm* —5D **2**
Bridge Vw. *S'dale* —4D **18**
Brimblecombe Clo. *Wokgm* —3E **3**
Brinn's La. *B'water* —5E **23**
Brittain Ct. *Sand* —3E **23**
Broadlands Ct. *Brack* —4G **5**
Broadlands Dri. *S Asc* —4G **17**
Broad La. *Brack* —6C **6**
Broadmoor Est. *Crowt* —4F **21**
BROADMOOR HOSPITAL. —4F 21
Broadpool Cotts. *Asc* —3E **9**
Broadrick Heath. *Warf* —3D **6**
Broad St. *Wokgm* —6G **3**
Broad St. Wlk. *Wokgm* —6G **3**
Broadway. *Brack* —5B **6**
Broadway, The. *Sand* —3D **22**
Brockenhurst Rd. *Asc* —1E **17**
Brockenhurst Rd. *Brack* —6F **7**
Brook Clo. *Owl* —1G **23**
Brook Clo. *Wokgm* —4E **3**
Brook Dri. *Brack* —1E **15**
Brooke Pl. *Binf* —1F **5**
Brookers Corner. *Crowt* —3E **21**
Brookers Row. *Crowt* —2E **21**
Brook Grn. *Brack* —4H **5**
(in two parts)
Brooksby Clo. *B'water* —5D **22**
Brookside. —2D 8
Brookside. *Sand* —3E **23**
Brookside. *Wokgm* —5D **2**
Broom Acres. *Sand* —2D **22**
Broome Ct. *Brack* —6B **6**
Broomfield Clo. *Asc* —4D **18**
Broomfield Pk. *Asc* —4D **18**
Broom Gro. *Wokgm* —2B **10**
Broomhall. —3C 18
Broomhall La. *Asc* —3C **18**
Broom Way. *B'water* —4E **23**
Brownlow Dri. *Brack* —3C **6**
Brownrigg Cres. *Brack* —4E **7**
Brunel Dri. *Crowt* —6E **13**
Brunswick. *Brack* —4A **14**
Bruton Way. *Brack* —4E **15**
Bryony Ho. *Brack* —4G **5**
Buchanan Dri. *Finch* —5A **10**
Buckhurst Gro. *Wokgm* —1B **12**
Buckhurst Hill. *Brack* —1F **15**
Bucklebury. *Brack* —4A **14**
Buckthorn Clo. *Wokgm* —5A **4**
Buckthorns. *Brack* —3G **5**
Budge's Cotts. *Wokgm* —4A **4**
Budge's Gdns. *Wokgm* —5H **3**
Budge's Rd. *Wokgm* —5H **3**
Budham Way. *Brack* —3B **14**
Bullbrook. —5E 7
Bullbrook Dri. *Brack* —4E **7**
Bullbrook Row. *Brack* —5E **7**
Bullfinch Clo. *Col T* —2G **23**
Bull La. *Brack* —4B **6**
Burbage Grn. *Brack* —2F **15**
Burchett Coppice. *Wokgm* —6D **10**
Burford Ct. *Wokgm* —1A **12**
Burghead Clo. *Col T* —3F **23**
Burleigh. —4C 8
Burleigh La. *Asc* —5C **8**
Burleigh Rd. *Asc* —5C **8**
Burley Way. *B'water* —4E **23**
Burlings, The. *Asc* —5C **8**
Burlsdon Way. *Brack* —4E **7**

Burma Rd. *Chob* —6H **19**
Burne-Jones Dri. *Col T* —4F **23**
Burnham Gro. *Brack* —3C **6**
Burn Moor Chase. *Brack* —4E **15**
Burnt Ho. Gdns. *Warf* —3E **7**
Burnthouse Ride. *Brack* —1F **13**
Burnt Oak. *Finch* —6D **10**
Bush Wlk. *Wokgm* —6G **3**
Business Cen., The. *Wokgm* —2F **11**
Butler Rd. *Crowt* —2D **20**
Buttercup Clo. *Wokgm* —6C **4**
Buttermere Gdns. *Brack* —6C **6**
Buttersteep Ri. *Asc* —5A **16**
Byron Dri. *Crowt* —5D **20**
Bywood. *Brack* —4A **14**

Cabbage Hill. *Warf* —1H **5**
Cabin Moss. *Brack* —4E **15**
Caesars Ga. *Warf* —4E **7**
Cain Rd. *Brack* —5F **5**
Calfridus Way. *Brack* —6E **7**
California. —6A 10
Cambrian Way. *Finch* —6E **11**
Cambridge Rd. *Crowt* —4E **21**
Cambridge Rd. *Owl* —1G **23**
Cambridgeshire Clo. *Warf* —3F **7**
Cambridgeshire Clo. *Wokgm* —6C **2**
Camellia Way. *Wokgm* —5B **2**
Campbell Clo. *Yat* —4B **22**
Campion Ho. *Brack* —4G **5**
Campion Way. *Wokgm* —4A **4**
Candleford Clo. *Brack* —3C **6**
Cannon Clo. *Col T* —2H **23**
Cannon Hill. *Brack* —3C **14**
Cantley. —4E 7
Cantley Cres. *Wokgm* —4E **3**
Carbery La. *Asc* —6F **9**
Cardinals, The. *Brack* —1B **14**
Cardwell Cres. *Asc* —2G **17**
Carey Rd. *Wokgm* —1G **11**
Carlyle Ct. *Crowt* —4E **21**
Carnation Clo. *Crowt* —4E **21**
Carnation Dri. *Wink R* —2G **7**
Carnoustie. *Brack* —4G **13**
Carolina Pl. *Finch* —5A **10**
Caroline Dri. *Wokgm* —5E **3**
Carrick La. *Yat* —4A **22**
Carroll Cres. *Asc* —2D **16**
Carters Hill Pk. *Wokgm* —1B **4**
Castlecraig Ct. *Col T* —3F **23**
Caswall Clo. *Binf* —2E **5**
Caswall Ride. *Yat* —5A **22**
Cavendish Meads. *Asc* —3G **17**
Cavendish Pk. Cvn. Site. *Sand*
—4G **23**
Caves Farm Clo. *Sand* —2C **22**
Cedar Av. *B'water* —5F **23**
Cedar Clo. *Wokgm* —6G **3**
Cedar Dri. *Asc* —1F **19**
(Blacknest Rd.)
Cedar Dri. *Asc* —4C **18**
(Broomhall La.)
Cedar Dri. *Brack* —3C **6**
Cedars. *Brack* —1F **15**
Cedars Clo. *Sand* —2B **22**
Celandine Clo. *Crowt* —2E **21**
Centennial Ct. *Brack* —5A **6**
Central Wlk. *Wokgm* —6G **3**
Centurion Clo. *Col T* —2F **23**
Chackfield Dri. *Winn* —4B **2**
Chaffinch Clo. *Col T* —2F **23**
Chaffinch Clo. *Wokgm* —1C **10**
Challenor Clo. *Finch* —5B **10**
Challis Pl. *Brack* —5G **5**
Chancel Mans. *Warf* —2C **6**
Chanctonbury Dri. *Asc* —4A **18**
Chandlers La. *Yat* —2A **22**
Chapel Green. —2G 11
Chapel La. *Binf* —3E **5**
Chapel Sq. *Ryl M* —4H **23**
Chapel Ter. *Binf* —3E **5**
Chaplain's Hill. *Crowt* —4F **21**
Charlbury Clo. *Brack* —1F **15**
Charles Sq. *Brack* —5C **6**
Charlton Clo. *Wokgm* —6D **10**
Charlton Dri. *Owl* —1F **23**
Charnwood. *Asc* —3B **18**
Charterhouse Clo. *Brack* —2E **15**
Charters Clo. *Asc* —2H **17**
Charters La. *Asc* —2H **17**
Charters Rd. *Asc* —4H **17**
Charters Way. *Asc* —4B **18**
Charwood Rd. *Wokgm* —6A **4**

Chase Gdns. *Binf* —1E **5**
Chase, The. *Crowt* —2C **20**
Chatsworth Av. *Winn* —2A **2**
Chaucer Clo. *Wokgm* —6B **4**
Chaucer Rd. *Crowt* —5D **20**
Chaucer Way. *Wokgm* —1C **10**
Chavey Down. —4H 7
Chavey Down Rd. *Wink R* —1H **7**
Cheapside. —5H 9
Cheapside Rd. *Asc* —6G **9**
Cheeseman Clo. *Wokgm* —5H **3**
Chelwood Dri. *Sand* —1B **22**
Cheney Clo. *Binf* —2F **5**
Cheniston Ct. *S'dale* —4C **18**
Cherbury Clo. *Brack* —6E **7**
Cherington Way. *Asc* —5C **8**
Cheriton Way. *B'water* —5F **23**
Cherry Tree Clo. *Owl* —1F **23**
Cherry Tree Dri. *Brack* —6D **6**
Cherrytree Gro. *Wokgm* —2A **10**
Cheshire Pk. *Warf* —2E **7**
Chesterblade La. *Brack* —4D **14**
Chestnut Av. *Vir W* —1H **19**
Chestnut Av. *Wokgm* —6A **2**
(in three parts)
Chestnut Clo. *B'water* —6G **23**
Chetwode Clo. *Wokgm* —6A **4**
Cheviot Rd. *Sand* —1B **22**
Child Clo. *Wokgm* —4H **3**
Chiltern Rd. *Sand* —1B **22**
Chippendale Clo. *B'water* —6G **23**
Chisbury Clo. *Brack* —3E **15**
Chivers Dri. *Finch* —5A **10**
Chives Pl. *Warf* —1D **6**
Chobham Common
    Memorial Cross. —6F **19**
Chobham La. *Chob & Vir W* —6H **19**
Chobham Rd. *Asc & Chob* —4D **18**
Christchurch Dri. *B'water* —4E **23**
Chuff Corner. *Warf* —2D **6**
Church Clo. *Winn* —2A **2**
Church Hams. *Finch* —6A **10**
Churchill Cres. *Yat* —5A **22**
Churchill Dri. *Winn* —2A **2**
Churchill Rd. *Asc* —5D **8**
Church La. —1H **17**
(London Rd.)
Church La. *Asc* —2D **18**
(Whitmore Rd.)
Church La. *Binf* —1G **5**
(Long Hill Rd.)
Church Rd. *Asc* —4H **7**
(Lyndhurst Rd.)
Church Rd. *Asc* —3C **18**
(Station Rd.)
Church Rd. *Brack* —5C **6**
Church Rd. *Owl* —1G **23**
Church Rd. *Sand* —1B **22**
Church Rd. E. *Crowt* —3D **20**
Church Rd. W. *Crowt* —4D **20**
Church St. *Crowt* —3D **20**
Church Vw. *Yat* —3A **22**
Circ. Hill Rd. *Crowt* —3E **21**
Clacy Grn. *Brack* —4A **6**
Clanfield Ride. *B'water* —5F **23**
Clare Av. *Wokgm* —6G **3**
Clarefield Ct. *Asc* —4C **18**
Clarendon Clo. *Winn* —2B **2**
Clarendon Ct. *B'water* —6F **23**
Clarke Cres. *Ryl M* —3G **23**
Claverdon. *Brack* —4A **14**
Claver Dri. *Asc* —1H **17**
Clayhill Clo. *Brack* —6F **7**
Clay La. *Wokgm* —6B **4**
Clayton Gro. *Brack* —4E **7**
Cleopatra Pl. *Warf* —3E **7**
Cleve Ho. *Brack* —1E **15**
Clifton Rd. *Wokgm* —4E **3**
Clintons Grn. *Brack* —4A **6**
Clive Grn. *Brack* —2B **14**
(in two parts)
Close, The. *Asc* —5B **8**
Close, The. *Brack* —1C **14**
Close, The. *Col T* —2G **23**
Clover Clo. *Wokgm* —5A **4**
Club La. *Crowt* —3F **21**
Coachmans Gro. *Sand* —3D **22**
Coach Rd. *Asc* —3C **8**
Cobbett's La. *Yat & B'water* —5B **22**
Cock-A-Dobby. *Sand* —1C **22**
Cockpit Path. *Wokgm* —1G **11**
Coleridge Av. *Yat* —5A **22**

Coleridge Clo. *Crowt* —4E **21**
College Cres. *Col T* —2G **23**
College Rd. *Brack* —1C **14**
College Rd. *Col T* —3G **23**
College Town. —4G 23
Columbia Cen., The. *Brack* —5B **6**
Columbia Ct. *Finch* —6C **10**
Comfrey Clo. *Wokgm* —4A **4**
Commons Rd. *Wokgm* —3D **2**
Compton Clo. *Brack* —3G **13**
Compton Clo. *Sand* —1E **23**
Comsaye Wlk. *Brack* —2C **14**
Coney Grange. *Warf* —2B **6**
Conifers, The. *Crowt* —1C **20**
Coningsby. *Brack* —1C **14**
Connaught Clo. *Crowt* —5B **20**
Constable Way. *Col T* —4G **23**
Cooke Ri. *Warf* —2C **6**
Cookham Clo. *Sand* —1E **23**
Cookham Rd. *Brack* —5G **5**
Coombe La. *Asc* —1G **17**
Coombe Pine. *Brack* —3D **14**
Coombes La. *Wokgm* —2A **10**
Copenhagen Wlk. *Crowt* —4D **20**
Copperfield Av. *Owl* —6G **21**
Coppice Gdns. *Crowt* —3B **20**
Coppice Grn. *Brack* —3H **5**
(in two parts)
Coppid Beech La. *Wokgm* —6C **4**
Copse Dri. *Wokgm* —5E **3**
Copse, The. *Brack* —6D **6**
Copse Way. *Finch* —5A **10**
Cordelia Cft. *Warf* —4E **7**
Corfield Grn. *Wokgm* —4D **2**
Cormorant Pl. *Col T* —3F **23**
Cornbunting Clo. *Col T* —2F **23**
Corn Cft. *Warf* —3D **6**
Cornflower Clo. *Wokgm* —5B **2**
Cornwall Clo. *Warf* —2F **7**
Cornwall Clo. *Wokgm* —6B **2**
Coronation Rd. *Asc* —4E **17**
Coronation Rd. *Yat* —3A **22**
Coronation Sq. *Wokgm* —5H **3**
Corsham Way. *Crowt* —3D **20**
Cotswold Rd. *Sand* —1B **22**
Cotterell Clo. *Brack* —3B **6**
Cottesmore. *Brack* —4A **14**
County La. *Warf* —2D **6**
Course Rd. *Asc* —6E **9**
Courtyard, The. *Brack* —5D **6**
Courtyard, The. *Wokgm* —1G **11**
Covert La. *Brack* —1C **14**
Covert, The. *Asc* —4F **17**
Coves Farm Wood. *Brack* —5F **5**
Coworth Clo. *Asc* —2D **18**
Coworth Pk. *S'hill* —1E **19**
Coworth Rd. *Asc* —2C **18**
Cox Grn. *Col T* —4F **23**
Crail Clo. *Wokgm* —3E **11**
Crake Pl. *Col T* —2F **23**
Crane Ct. *Col T* —2F **23**
Cranford Pk. Dri. *Yat* —4A **22**
Crawley Chase. *Wink R* —2H **7**
Crecy Clo. *Wokgm* —6C **2**
Crescent Rd. *Wokgm* —1G **11**
Crescent, The. *B'water* —6F **23**
Crescent, The. *Brack* —1C **14**
Crescent, The. *Yat* —3A **22**
Cressex Clo. *Binf* —2E **5**
Cressida Chase. *Warf* —4E **7**
Cricketers La. *Warf* —1G **7**
Cricket Fld. Gro. *Crowt* —4F **21**
Cricket Hill. —5A 22
Cricket Hill. *Yat* —6A **22**
Cricket Hill La. *Yat* —6A **22**
Crisp Gdns. *Binf* —3G **5**
Crocker Clo. *Asc* —4D **8**
Crockford Pl. *Binf* —3H **5**
Crocus Way. *Wokgm* —5B **2**
Croft Clo. *Wokgm* —4E **11**
Crofters Clo. *Sand* —2C **22**
Crofton Clo. *Brack* —2E **15**
Croft Rd. *Wokgm* —5E **11**
Croft, The. *Brack* —3B **6**
Croft, The. *Wokgm* —1H **11**
Croft, The. *Yat* —3A **22**
Cromwell Rd. *Asc* —1F **17**
Cross Fell. *Brack* —1A **14**
Cross Gates Clo. *Brack* —6F **7**
Cross Rd. *Asc* —5B **18**
Cross St. *Wokgm* —6G **3**
Crossway. *Brack* —5C **6**
Crown Pl. *Owl* —1G **23**
Crown Row. *Brack* —3D **14**

Crown Wood. —3D 14
Crowthorne. —3E 21
Crowthorne Lodge. Brack —1B **14**
(off Crowthorne Rd.)
Crowthorne Rd. *Brack* —2A **14**
Crowthorne Rd. *Crowt & Brack*
    —2F **21**
Crowthorne Rd. *Sand & Crowt*
    —2C **22**
Crowthorne Rd. N. *Brack* —6B **6**
Cruikshank Lea. *Col T* —4G **23**
Crutchley Rd. *Wokgm* —5H **3**
Culham Ho. *Brack* —2E **15**
Culloden Way. *Wokgm* —6C **2**
Culvercroft. *Binf* —3G **5**
Culver Rd. *Owl* —1F **23**
Cumberland Dri. *Brack* —4D **6**
Cumberland Way. *Wokgm* —6B **2**
Cumnor Way. *Brack* —1E **15**
Cunworth Ct. *Brack* —3H **13**
Curl Way. *Wokgm* —1E **11**
Cypress Clo. *Finch* —6E **11**
Cypress Way. *B'water* —5D **22**

Dalcross. *Brack* —3E **15**
Dale Clo. *Asc* —2C **18**
Dale Gdns. *Sand* —2C **22**
Dale Lodge Rd. *Asc* —2C **18**
Dalley Ct. *Sand* —3F **23**
Danywern Dri. *Winn* —2A **2**
Darby Green. —5C 22
Darby Grn. La. *B'water* —5D **22**
Darby Grn. Rd. *B'water* —5C **22**
Darby Va. *Warf* —2B **6**
Dark Dale. *Asc* —2G **15**
Darleydale Clo. *Owl* —6F **21**
Dart Clo. *Finch* —6B **10**
Dartmouth Clo. *Brack* —6E **7**
Darwall Dri. *Asc* —5B **8**
Dashwood Clo. *Brack* —4D **6**
Davenport Rd. *Brack* —4E **7**
Daventry Ct. *Brack* —4B **14**
Davis Gdns. *Col T* —3G **23**
Davis St. *Hurst* —1A **2**
Davis Way. *Hurst* —1B **2**
Davy Clo. *Wokgm* —1G **11**
Dawnay Clo. *Asc* —4D **8**
Deacon Clo. *Wokgm* —4G **3**
Dean Gro. *Wokgm* —5G **3**
Deansgate. *Brack* —4B **14**
Deepdale. *Brack* —1A **14**
Deepfield Rd. *Brack* —5D **6**
Deerhurst Av. *Winn* —2A **2**
Deer Rock Hill. *Brack* —3C **14**
Defford Clo. *Wokgm* —3D **2**
Delane Dri. *Winn* —3A **2**
Dell Corner. *Brack* —5F **5**
Deller St. *Binf* —3H **5**
Dene Clo. *Brack* —3C **6**
Denham Dri. *Yat* —5A **22**
Denham Gro. *Brack* —3C **14**
Denmark St. *Wokgm* —1G **11**
Denmead Ct. *Brack* —3E **15**
Denton Rd. *Wokgm* —6G **3**
Derbyshire Grn. *Warf* —3F **7**
Derwent Clo. *Wokgm* —6C **2**
Devenish Clo. *S'hill* —3H **17**
Devenish La. *Asc* —5H **17**
Devenish Rd. *Asc* —3G **17**
Devil's Highway, The. *Crowt* —3A **20**
De Vitre Grn. *Wokgm* —5B **4**
Devon Chase. *Warf* —2E **7**
Devon Clo. *Col T* —3F **23**
Devon Clo. *Wokgm* —6C **2**
Diamond Way. *Wokgm* —5C **2**
Dianthus Pl. *Wink R* —2H **7**
Dickens Ct. *Wokgm* —6F **3**
Dieppe Clo. *Wokgm* —6C **2**
Ditchfield La. *Finch* —6C **10**
Ditchling. *Brack* —4A **14**
Dittons, The. *Finch* —6B **10**
Dodsells Well. *Wokgm* —6D **10**
Doles Hill. *B'ham* —3B **10**
Doles La. *Wokgm* —2C **10**
(in two parts)
Dolphin Clo. *Winn* —3A **2**
Dolphin Clo. *Brack* —1C **14**
Doman Rd. *Camb* —6H **23**
Doncastle Rd. *Brack* —6G **5**
Donnington Rd. *Winn* —2B **2**
Donnybrook. *Brack* —4A **14**
Dormer Clo. *Crowt* —3C **20**
Dorset Va. *Warf* —2E **7**

Dorset Way. *Wokgm* —6C **2**
Dovedale Clo. *Owl* —6F **21**
Dowding Ct. *Crowt* —2E **21**
Dowlesgreen. —5A 4
Downmill Rd. *Brack* —5H **5**
Downshire Way. *Brack* —5A **6**
(in two parts)
Downside. *Brack* —6A **6**
Drake Clo. *Brack* —2B **14**
Drake Clo. *Finch* —5A **10**
Draycott. *Brack* —2E **15**
Drayton Clo. *Brack* —5D **6**
Droitwich Clo. *Brack* —6D **6**
Drovers Way. *Brack* —6F **7**
Druce Wood. *Asc* —4C **8**
Drummond Clo. *Brack* —4F **7**
Dry Arch Rd. *Asc* —4B **18**
Dryden. *Brack* —4A **14**
Duchess Clo. *Crowt* —1D **20**
Dudley. *Brack* —3D **14**
Dukeshill Rd. *Brack* —4B **6**
Duke's Ride. *Crowt* —4A **20**
Dukes Wood. *Crowt* —3D **20**
(in two parts)
Duncan Dri. *Wokgm* —1H **11**
Dundas Clo. *Brack* —1B **14**
Dunford Pl. *Binf* —3G **5**
Dunkirk Clo. *Wokgm* —6C **2**
Dunt La. *Hurst* —1C **2**
Durham Clo. *Wokgm* —6C **2**
Durham Rd. *Owl* —6G **21**
Durley Mead. *Brack* —2F **15**
Durning Pl. *Asc* —6F **9**
Dyer Rd. *Wokgm* —5A **4**

Eagle Clo. *Crowt* —1C **20**
Eagle Clo. *Wokgm* —1D **10**
Eaglehurst Cotts. *Binf* —1E **5**
Eagles Nest. *Sand* —1C **22**
Earle Cft. *Warf* —3C **6**
Earleydene. *Asc* —5F **17**
Earlswood. *Brack* —4B **14**
Eastbury Ct. *Brack* —3H **5**
Eastbury Pk. *Winn* —2B **2**
Eastern Industrial Area,
    Bracknell. —5D 6
Eastern La. *Crowt* —3G **21**
Eastern Rd. *Brack* —5D **6**
East Grn. *B'water* —5E **23**
Easthampstead. —2B 14
Easthampstead Mobile Home Pk
    . *Wokgm* —6E **13**
Easthampstead Pk. Crematorium.
    Wokgm —4F **13**
Easthampstead Rd. *Brack* —5A **6**
Easthampstead Rd. *Wokgm* —1H **11**
Eastheath. —3F 11
Eastheath Av. *Wokgm* —2E **11**
Eastheath Gdns. *Wokgm* —3F **11**
E. Stratton Clo. *Brack* —2F **15**
Eddington Rd. *Brack* —3G **13**
Eden Way. *Winn* —3A **2**
Edgbarrow Clo. *Crowt* —5C **20**
Edgbarrow Ri. *Sand* —6C **20**
Edgbarrow Woods Nature
    Reserve. —6E **21**
Edgcumbe Pk. Dri. *Crowt* —3C **20**
Edgdale Clo. *Crowt* —4D **20**
Edgewood Clo. *Crowt* —4D **20**
Edmonds Ct. *Brack* —4C **6**
Edward Ct. *Wokgm* —1F **11**
Egerton Rd. *Camb* —4H **23**
Elgar Av. *Crowt* —1D **20**
Elgarth Dri. *Finch* —6D **10**
Elizabeth Clo. *Brack* —1C **14**
Elizabeth Ct. *Wokgm* —6F **3**
Elizabeth Gdns. *Asc* —2F **17**
Elizabeth Rd. *Wokgm* —6H **3**
Ellenborough Clo. *Brack* —4D **6**
Ellesfield Av. *Brack* —1G **13**
Elliott Ri. *Asc* —5B **8**
Ellison Way. *Wokgm* —6F **3**
Ellis Rd. *Crowt* —2C **20**
Elm Ct. *Sand* —6G **21**
Elmley Clo. *Wokgm* —3D **2**
Elm Pk. *S'dale* —5A **18**
Elms Rd. *Wokgm* —1F **11**
Elms, The. *B'water* —6G **23**
Elms, The. *Warf P* —2G **7**
Emerald Clo. *Wokgm* —5C **2**
Emerson Ct. *Crowt* —3D **20**
Emery Down Clo. *Brack* —6G **7**
Emmbrook. —3D 2

Emmbrook Ga. *Wokgm* —4D **2**
Emmbrook Rd. *Wokgm* —4D **2**
Emmbrook Va. *Wokgm* —3E **3**
Emm Clo. *Wokgm* —4D **2**
Emmets Nest. *Binf* —2E **5**
Emmets Way. *Binf* —2E **5**
Emmview Clo. *Wokgm* —5D **2**
Enborne Gdns. *Brack* —3D **6**
Englemere Pk. *Asc* —1B **16**
Englemere Rd. *Brack* —3H **5**
Ennerdale. *Brack* —1A **14**
Epping Way. *Brack* —1F **15**
Erfstadt Ct. *Wokgm* —1G **11**
Erica Dri. *Wokgm* —1H **11**
Essame Clo. *Wokgm* —6H **3**
Essex Ri. *Warf* —3F **7**
Eustace Cres. *Wokgm* —4H **3**
Evedon. *Brack* —4B **14**
Evendon's Clo. *Wokgm* —3E **11**
Evendon's La. *Wokgm* —3B **10**
Evenlode Way. *Sand* —2E **23**
Everest Rd. *Crowt* —2D **20**
Evergreen Way. *Wokgm* —1D **10**
Evesham Wlk. *Owl* —1F **23**
Exchange Rd. *Asc* —2G **17**

Faircross. *Brack* —6B **6**
Fairfax. *Brack* —4A **6**
Fairmead Clo. *Col T* —3G **23**
Fairview Rd. *Wokgm* —1G **11**
Faithfull Clo. *Warf* —2B **6**
Fakenham Way. *Owl* —1F **23**
Falcon Way. *Wokgm* —6D **2**
Fanes Clo. *Brack* —4H **5**
Farcrosse Clo. *Sand* —2E **23**
Faringdon Clo. *Sand* —1E **23**
Faringdon Dri. *Brack* —2D **14**
Farley Copse. *Brack* —4G **5**
Farley Wood. **—5F 5**
Farm Clo. *Asc* —2G **17**
Farm Clo. *Brack* —4H **5**
Farm Clo. *Crowt* —1E **21**
Farm Cotts. *Wokgm* —4F **3**
Farnham Clo. *Brack* —5D **6**
Farningham. *Brack* —3E **15**
Faversham Rd. *Owl* —1F **23**
Fawler Mead. *Brack* —1F **15**
Fencote. *Brack* —3D **14**
Fernbank. *Finch* —5A **10**
Fernbank Cres. *Asc* —4B **8**
Fernbank Pl. *Asc* —4B **8**
Fernbank Rd. *Asc* —6A **8**
Fern Clo. *Crowt* —1D **20**
Fernhill Clo. *Brack* —3H **5**
Fernhill Rd. *B'water & Farnb* —6G **23**
Ferrard Clo. *Asc* —4B **8**
Fielden Pl. *Brack* —5D **6**
Field Ho. Clo. *Asc* —5E **17**
Fielding Gdns. *Crowt* —4D **20**
Fielding Rd. *Col T* —4G **23**
Field Pk. *Brack* —4D **6**
Fieldway. *Winn* —2B **2**
Fincham End Dri. *Crowt* —4B **20**
Finchampstead North. **—5A 10**
Findhorn Clo. *Col T* —3F **23**
Finmere. *Brack* —4C **14**
Finstock Grn. *Brack* —1F **15**
Fir Cottage Rd. *Finch* —6C **10**
Fir Dri. *B'water* —6F **23**
Fireball Hill. *Asc* —4H **17**
Firglen Dri. *Yat* —3A **22**
Firlands. *Brack* —2C **14**
Firs Clo. *Finch* —5B **10**
Firs, The. *Brack* —2F **15**
Fir Tree Clo. *Asc* —4E **17**
Firtree Clo. *Sand* —1B **22**
Firwood Rd. *Vir W* —3G **19**
Fisher Grn. *Binf* —2D **4**
Fishers Wood. *Asc* —5E **19**
Fishponds Clo. *Wokgm* —2E **11**
Fishponds Est. *Wokgm* —2E **11**
Fishponds Rd. *Wokgm* —2E **11**
Fiske Ct. *Yat* —4A **22**
Fitzroy Clo. *Brack* —3A **14**
Flamingo Clo. *Wokgm* —1C **10**
Flats, The. *B'water* —6D **22**
Fleet Clo. *Wokgm* —6C **2**
Fletcher Gdns. *Brack* —4F **5**
Flexford Grn. *Brack* —3G **13**
Flintgrove. *Brack* —4D **6**
Florence Rd. *Col T* —3F **23**
Folder's La. *Brack* —3C **6**
Folly Orchard. *Wokgm* —1D **10**

Forbes Chase. *Col T* —3F **23**
Fordwells Dri. *Brack* —1F **15**
Forest Clo. *Asc* —6A **8**
Forest End. *Sand* —1B **22**
Forest End Rd. *Sand* —1B **22**
Foresters Sq. *Brack* —6E **7**
Foresters Way. *Crowt* —1G **21**
Forest Grn. *Brack* —4D **6**
Forest Park. —3F 15
Forest Rd. *Crowt* —3E **21**
Forest Rd. *Warf & Asc* —1E **7**
Forest Rd. *Wokgm & Binf* —2E **3**
Forest Way. *Warf P* —3F **7**
Fort Narrien. *Col T* —3G **23**
Fortrose Clo. *Col T* —3F **23**
Fosseway. *Crowt* —3B **20**
Fountains Gth. *Brack* —6A **6**
Fowlers La. *Brack* —4B **6**
Fox Covert Clo. *Asc* —2G **17**
Foxglove Clo. *Wink R* —2G **7**
Foxglove Clo. *Wokgm* —5B **2**
Foxheath. *Brack* —2E **15**
Foxley Clo. *B'water* —5E **23**
Foxley La. *Binf* —2D **4**
Fox Rd. *Brack* —1C **14**
Francis Chichester Clo. *Asc* —2F **17**
Francis Gdns. *Warf* —3D **6**
Fraser Mead. *Col T* —4G **23**
Fraser Rd. *Brack* —4B **6**
Frederick Pl. *Wokgm* —6E **3**
Freeborn Way. *Brack* —4E **7**
Freesia Clo. *Wokgm* —6E **3**
French Gdns. *B'water* —6F **23**
Frensham. *Brack* —3D **14**
Frensham Rd. *Crowt* —2D **20**
Friars Keep. *Brack* —1B **14**
Friary Rd. *Asc* —3E **17**
Friendship Way. *Brack* —6B **6**
Frobisher. *Brack* —4C **14**
Frodsham Way. *Owl* —6G **21**
Frog Hall Dri. *Wokgm* —6A **4**
Frog La. *Brack* —6A **6**
Frogmore. —5E 23
Frogmore Ct. *B'water* —6E **23**
Frogmore Gro. *B'water* —6E **23**
Frogmore Pk. Dri. *B'water* —6E **23**
Frogmore Rd. *B'water* —5D **22**
Froxfield Down. *Brack* —2F **15**
Fry's La. *Yat* —3A **22**
Fuchsia Pl. *Brack* —5D **6**
Fullbrook Clo. *Wokgm* —3E **3**
Furzebank. *Asc* —1H **17**
Furze Hill Cres. *Crowt* —4E **21**
Furzemoors. *Brack* —2B **14**
Fydler's Clo. *Wink* —2F **9**
Fyfield Clo. *B'water* —5F **23**

Gadd Clo. *Wokgm* —5B **4**
Gainsborough. *Brack* —3C **14**
Gainsborough Dri. *Asc* —6B **8**
Galton Rd. *Asc* —3B **18**
Gardeners Green. —4B 12
Gardeners Rd. *Wink R* —2G **7**
Garrett Rd. *Finch* —6C **10**
Garston Gro. *Wokgm* —5C **10**
Garswood. *Brack* —3D **14**
Garth Clo. *Winn* —2A **2**
Garth Hunt Cotts. *Brack* —2B **6**
Garth Sq. *Brack* —3B **6**
Geffers Ride. *Asc* —5C **8**
Georgeham Rd. *Owl* —6F **21**
Geranium Clo. *Crowt* —6D **12**
Gibbins La. *Warf* —1D **6**
Gibbons Clo. *Sand* —3E **23**
Gibbs Clo. *Finch* —6A **10**
Gilbert Way. *Finch* —6C **10**
Gill Ri. *Warf* —2C **6**
Gipsy La. *Brack* —5D **6**
(in two parts)
Gipsy La. *Wokgm* —1G **11**
Girton Clo. *Owl* —6G **21**
Glade, The. *Asc* —2G **17**
Glebeland Rd. *Camb* —6H **23**
Glebelands Rd. *Wokgm* —5G **3**
Glebe, The. *Brack* —6G **23**
Glebewood. *Brack* —2C **14**
Glendale Clo. *Wokgm* —3E **11**
Gleneagles Ho. *Brack* —3G **13**
Glenfield Ho. *Brack* —1C **14**
Glenhurst Clo. *B'water* —6G **23**
Gleninnes. *Col T* —1H **23**
Glen, The. *Asc* —1H **17**
Glenwood. *Brack* —1D **14**

Globe Farm La. *B'water* —5D **22**
Gloucestershire Lea. *Warf* —3F **7**
Goaters Hill. —4A 8
Goaters Rd. *Asc* —5A **8**
Goddard Ct. *Winn* —3A **2**
Goddard Way. *Brack* —2D **6**
(in two parts)
Godfrey Way. *Sand* —2F **23**
Goldcup La. *Asc* —4B **8**
Golden Orb Wood. *Binf* —4F **5**
Goldsmith Clo. *Wokgm* —5C **10**
Goldsmith Way. *Crowt* —4D **20**
Golf Club Cotts. *S'dale* —5E **19**
Goodchild Rd. *Wokgm* —6H **3**
Goodings Grn. *Wokgm* —6B **4**
Goodways Dri. *Brack* —5C **6**
Goose Corner. *Warf* —1F **5**
Gordon Rd. *Crowt* —5F **21**
Gordon Wlk. *Yat* —5A **22**
Gorrick. —5H 11
Gorrick Sq. *Wokgm* —3F **11**
Gorse Pl. *Wink R* —3H **7**
Gorse Ride N. *Finch* —5A **10**
Gorse Ride S. *Finch* —5A **10**
Gough's La. *Brack* —5E **6**
Gough's Mdw. *Sand* —3D **22**
Governor's Rd. *Col T* —4H **23**
Gower Pk. *Col T* —3F **23**
Grampian Rd. *Sand* —6B **20**
Grange Av. *Crowt* —2D **20**
Grange Rd. *Brack* —4C **6**
Grantham Clo. *Owl* —1G **23**
Grant Rd. *Crowt* —5E **21**
Grant Wlk. *Asc* —5A **18**
Grasmere Clo. *Winn* —3A **2**
Grayshot Dri. *B'water* —5E **23**
Great Hollands. —3H 13
Gt. Hollands Rd. *Brack* —3G **13**
Gt. Hollands Sq. *Brack* —3H **13**
Green Cft. *Wokgm* —4A **4**
Green Dri. *Wokgm* —2A **12**
Green End. *Yat* —3A **22**
Greenfield Way. *Crowt* —1C **20**
Grn. Finch Clo. *Crowt* —2B **20**
Greenham Wood. *Brack* —3C **14**
Greenhow. *Brack* —6A **6**
Green La. *B'water* —6G **23**
(Hawley Rd.)
Green La. *B'water* —6D **22**
(Reading Rd.)
Green La. *Hurst* —1C **2**
Green La. *Sand* —3E **23**
Green La. *Winn* —3B **2**
Green La. *Wokgm* —1C **4**
Green Ride. *Brack* —4F **15**
Greenside. *Crowt* —3B **20**
Green, The. *B'water* —6E **23**
Green, The. *Brack* —1B **14**
Green, The. *Woos* —5C **2**
Greenways. *Sand* —1D **22**
Greenways Dri. *Asc* —5A **8**
Green Wood. *Asc* —4A **8**
Greenwood Cotts. *Asc* —3E **19**
Greenwood Gro. *Winn* —1B **2**
Greenwood Rd. *Crowt* —2C **20**
Grenville Pl. *Brack* —5C **6**
(off Ring, The)
Greyfriars Dri. *Asc* —2F **17**
Greystock Rd. *Warf* —2D **6**
Greystoke Ct. *Crowt* —4C **20**
Grove Clo. *Wokgm* —1A **20**
Grovelands Av. *Winn* —2B **2**
Grovelands Av. Workshops.
   Winn —1B **2**
Grovelands Clo. *Winn* —1B **2**
Grovelands Pk. *Winn* —1B **2**
(off Grovelands Av.)
Grove La. *Wink R* —1H **7**
Grove, The. *Asc* —4A **8**
Guards Ct. *Asc* —4D **18**
Guerdon Pl. *Brack* —4D **14**
Gull Clo. *Wokgm* —1C **10**

Haddenhurst Ct. *Binf* —2E **5**
Haig Rd. *Camb* —6H **23**
Hailsham Clo. *Owl* —1F **23**
Hale End. *Brack* —1F **15**
Halewood. *Brack* —3H **13**
Halfpenny La. *Asc* —4C **18**
Hallbrooke Gdns. *Binf* —3G **5**
Halley Dri. *Asc* —5B **8**
Hall Farm Cres. *Yat* —5A **22**
Hallmark Clo. *Col T* —2G **23**

Hamble Av. *B'water* —5F **23**
Hambleden Ct. *Brack* —1E **15**
Hamilton Dri. *Asc* —4A **18**
Hamlet St. *Warf* —4E **7**
Hammond Ct. *Brack* —4A **6**
(off Crescent Rd.)
Hampshire Ri. *Warf* —2F **7**
Hampshire Way. *Wokgm* —6B **2**
Hancocks Mt. *Asc* —3H **17**
Hancombe Rd. *Sand* —1C **22**
Handford La. *Yat* —5A **22**
Hanover Clo. *Yat* —3A **22**
Hanover Gdns. *Brack* —4H **13**
Hanworth. —4A 14
Hanworth Clo. *Brack* —3C **14**
Hanworth Rd. *Brack* —5A **14**
Harcourt Rd. *Brack* —3B **14**
Hardwell Way. *Brack* —1E **15**
Hardy Grn. *Crowt* —4D **20**
Harefield Clo. *Winn* —2A **2**
Harlech Rd. *B'water* —6F **23**
Harman Ct. *Winn* —2A **2**
Harmanswater. —1D 14
Harman's Water Rd. *Brack* —2C **14**
Harmar Clo. *Wokgm* —6A **4**
Hart Clo. *Brack* —3A **6**
Hart Dyke Clo. *Wokgm* —4F **11**
Hartley Clo. *B'water* —5D **22**
Harts Leap Clo. *Sand* —1D **22**
Harts Leap Rd. *Sand* —2C **22**
Harvard Rd. *Owl* —1G **23**
Harvest Dri. *Sind* —4A **2**
Harvest Ride. *Brack* —2A **6**
(in two parts)
Hatchet La. *Asc & Wink* —1E **9**
Hatchgate Copse. *Brack* —3G **13**
Hatch Ride. *Crowt* —1D **20**
Hatherwood. *Yat* —5B **22**
Havelock Rd. *Wokgm* —6E **3**
Havelock St. *Wokgm* —6E **3**
Haversham Dri. *Brack* —3B **14**
Hawkes Clo. *Wokgm* —5E **3**
Hawkins Clo. *Brack* —5G **7**
Hawkins Way. *Wokgm* —6A **4**
Hawk La. *Brack* —1D **14**
Hawkridge Ct. *Brack* —1E **15**
Hawkswood Ho. *Brack* —4G **5**
Hawley. —6G 23
Hawley Grn. *B'water* —6G **23**
Hawley Rd. *B'water* —6F **23**
Hawthorn Clo. *Brack* —4A **6**
Hawthorne Cres. *B'water* —6G **23**
Haydon Pl. *Yat* —4A **22**
Hayes La. *Wokgm* —3A **10**
Hayley Grn. *Warf* —1F **7**
Haywood. *Brack* —4C **14**
Hazelbank. *Finch* —6A **10**
Hazel Clo. *Wokgm* —1D **10**
Hazell Hill. *Brack* —6C **6**
Hazelwood La. *Binf* —1H **5**
(in two parts)
Headington Clo. *Wokgm* —4H **3**
Headington Dri. *Wokgm* —4H **3**
Hearmon Clo. *Yat* —4A **22**
Hearn Wlk. *Brack* —4E **7**
Hearsey Gdns. *B'water* —4D **22**
(in two parts)
Heath Clo. *Wokgm* —2F **11**
Heather Clo. *Finch* —5A **10**
Heatherdene Av. *Crowt* —4A **20**
Heather Dri. *Asc* —4A **18**
Heathermount. *Brack* —1E **15**
Heathermount Dri. *Crowt* —2B **20**
Heathermount Gdns. *Crowt* —2B **20**
Heatherway. *Crowt* —3C **20**
HEATHERWOOD HOSPITAL. —6D **8**
Heathfield Av. *Asc* —2A **18**
Heath Hill Rd. N. *Crowt* —3D **20**
Heath Hill Rd. S. *Crowt* —3D **20**
Heathlands. *Brack* —1A **14**
Heathlands Ct. *Wokgm* —6B **12**
Heathlands Ct. *Yat* —6A **22**
Heathlands Rd. *Wokgm* —3B **12**
Heathmoors. *Brack* —2A **14**
Heath Ride. *Finch & Crowt* —4A **20**
Heathway. *Asc* —4C **8**
Heathwood Clo. *Yat* —3A **22**
Hebbecastle Down. *Warf* —2B **6**
Heelas Rd. *Wokgm* —6E **3**
Helmsdale. *Brack* —2D **14**
Hemmyng Corner. *Warf* —2C **6**
Henley Gdns. *Yat* —5A **22**
Hepworth Cft. *Col T* —4G **23**
Herbert Clo. *Brack* —2B **14**

Hermes Clo. *Wokgm* —5A **2**
Hermitage Dri. *Asc* —5C **8**
Hermitage Pde. *Asc* —6F **9**
Hermitage, The. *Warf* —1D **6**
Heron Clo. *Asc* —4B **8**
Herondale. *Brack* —4C **14**
Heron Rd. *Wokgm* —6C **2**
Heron's Way. *Wokgm* —5A **4**
Herschel Grange. *Warf* —1D **6**
Hertford Clo. *Wokgm* —1C **10**
Hexham Clo. *Owl* —6F **21**
Hicks La. *B'water* —5D **22**
High Beech. *Brack* —1F **15**
Highclere. *Asc* —2H **17**
Highclere Clo. *Brack* —5E **7**
Higher Alham. *Brack* —4E **15**
Highfield. *Brack* —3H **13**
Highfield Clo. *Wokgm* —6F **3**
High Fields. *Asc* —2B **18**
Highland Av. *Wokgm* —1A **10**
High St. *Asc* —6E **8**
High St. *Brack* —5B **6**
  (in two parts)
High St. *Crowt* —4E **21**
High St. *L Sand* —1B **22**
High St. *Sand* —1B **22**
High St. *S'dale* —2C **18**
High St. *S'hill* —2H **17**
Highway. *Crowt* —3C **20**
Hilfield. *Yat* —5B **22**
Hillary Dri. *Crowt* —2D **20**
Hillberry. *Brack* —4C **14**
Hill Copse Vw. *Brack* —4E **7**
Hillside. *Asc* —2G **17**
Hillside. *Ryl M* —3H **23**
Hillside Dri. *Binf* —2E **5**
Hillside Pk. *S'dale* —5B **18**
Hilltop Clo. *Asc* —5H **9**
Hinton Clo. *Crowt* —1D **20**
Hinton Dri. *Crowt* —1D **20**
Hitherhooks Hill. *Binf* —4G **5**
Hodge La. *Wink* —1E **9**
  (in two parts)
Hoffman Clo. *Brack* —2D **6**
Hogarth Clo. *Col T* —4G **23**
Holbeck. *Brack* —3H **13**
Holland Pines. *Brack* —4H **13**
Hollerith Ri. *Brack* —3B **14**
Holly Acre. *Yat* —5A **22**
Holly Ct. *Crowt* —4A **20**
Hollyhook Clo. *Crowt* —2C **20**
Holly Ho. *Brack* —3B **14**
Holly Spring Cotts. *Brack* —3D **6**
Holly Spring La. *Brack* —4C **6**
Holly Way. *B'water* —6F **23**
Holmbury Av. *Crowt* —1C **20**
Holme Clo. *Crowt* —1C **20**
Holme Green. —3B 12
Holmes Clo. *Asc* —3G **17**
Holmes Clo. *Wokgm* —2D **10**
Holmes Cres. *Wokgm* —2D **10**
Holmewood Clo. *Wokgm* —4E **11**
Holt La. *Wokgm* —5F **3**
Holton Heath. *Brack* —1F **15**
Hombrook Dri. *Brack* —4G **5**
Hombrook Ho. *Brack* —4G **5**
Hone Hill. *Sand* —2D **22**
Honey Hill. *Wokgm* —4B **12**
Honeyhill Rd. *Brack* —4A **6**
Honeysuckle Clo. *Crowt* —1C **20**
Hope Av. *Brack* —4E **15**
Hope Cotts. *Brack* —6C **6**
Hopeman Clo. *Col T* —2F **23**
Hopper Va. *Brack* —3A **14**
Horatio Av. *Warf* —4E **7**
Horewood Rd. *Brack* —3B **14**
Hormer Clo. *Owl* —1F **23**
Hornbeam Clo. *Owl* —1F **23**
Hornbeam Clo. *Wokgm* —3B **10**
Hornby Av. *Brack* —4D **14**
Horndean Rd. *Brack* —3F **15**
Horse & Groom Cvn. Site. *Brack* —1C **14**
Horsegate Ride. *Asc* —3E **17**
  (Coronation Rd.)
Horsegate Ride. *Asc* —2H **15**
  (Swinley Rd.)
Horsham Rd. *Owl* —1F **23**
Horsnape Gdns. *Binf* —2D **4**
Horsneile La. *Brack* —3B **6**
Houston Way. *Crowt* —3A **20**
Howard Rd. *Wokgm* —1G **11**
Howell Clo. *Warf* —2C **6**
Howorth Ct. *Brack* —1E **15**

Hubberholme. *Brack* —6A **6**
Hughes Rd. *Wokgm* —5H **3**
Humber Clo. *Sand* —2F **23**
Humber Clo. *Wokgm* —5C **2**
Humber Way. *Sand* —2F **23**
Humphries Yd. *Brack* —1C **14**
Hungerford Clo. *Sand* —2E **23**
Huntingdonshire Clo. *Wokgm* —6B **2**
Huntsgreen Ct. *Brack* —5C **6**
Huntsmans Mdw. *Asc* —4D **8**
Hurley Ct. *Brack* —1E **15**
Hurst Clo. *Brack* —2A **14**
Hurstwood. *Asc* —3E **17**
Huson Rd. *Warf* —2C **6**
Hutsons Clo. *Wokgm* —4H **3**
Hythe Clo. *Brack* —2E **15**

Illingworth Gro. *Brack* —4F **7**
Inchwood. *Brack* —5C **14**
Ingle Glen. *Finch* —6E **11**
Ingleton. *Brack* —6A **6**
Innings La. *Warf* —4D **6**
Inverness Way. *Col T* —3F **23**
Isis Clo. *Winn* —3A **2**
Isis Way. *Sand* —2F **23**
Iveagh Ct. *Brack* —2D **14**

Jackson Clo. *Brack* —2B **14**
Jacob Clo. *Brack* —5F **5**
Jacob Rd. *Col T* —3H **23**
Jameston. *Brack* —5C **14**
Japonica Clo. *Wokgm* —2B **10**
Jasmine Clo. *Wokgm* —5B **2**
Jays Nest Clo. *B'water* —6F **23**
Jennys Wlk. *Yat* —4A **22**
Jerome Corner. *Crowt* —5E **21**
Jerrymoor Hill. *Finch* —6D **10**
Jesse Clo. *Yat* —5B **22**
Jevington. *Brack* —5C **14**
Jig's La. *Warf* —4E **7**
Jig's La. N. *Warf* —2E **7**
Jig's La. S. *Warf* —4E **7**
Jock's La. *Brack* —4G **5**
John Nike Way. *Brack* —5E **5**
Jones Corner. *Asc* —4C **8**
Joseph Ct. *Warf* —2E **7**
Jubilee Av. *Asc* —4C **8**
Jubilee Av. *Wokgm* —5F **3**
Jubilee Clo. *Asc* —4C **8**
Jubilee Ct. *Brack* —6C **6**
Juliet Gdns. *Warf* —4F **7**
Julius Hill. *Warf* —4F **7**
Juniper. *Brack* —5C **14**
Junipers, The. *Wokgm* —2B **10**
Jupiter Way. *Wokgm* —6C **2**
Jutland Clo. *Wokgm* —6C **2**

Kaynes Pk. *Asc* —4C **8**
Keates Grn. *Brack* —4B **6**
Keats Way. *Crowt* —1D **20**
Keble Way. *Owl* —6G **21**
Keepers Coombe. *Brack* —3D **14**
Keephatch Rd. *Wokgm* —4A **4**
Kelburne Clo. *Winn* —1A **2**
Keldholme. *Brack* —6A **6**
Kelsall Pl. *Asc* —4F **17**
Kelsey Av. *Finch* —6A **10**
Kelsey Gro. *Yat* —5A **22**
Kendrick Clo. *Wokgm* —1G **11**
Kenilworth Av. *Brack* —4C **6**
Kennel Av. *Asc* —4D **8**
Kennel Clo. *Asc* —2D **8**
Kennel Grn. *Asc* —4C **8**
Kennel La. *Brack* —3B **6**
Kennel Ride. *Asc* —4D **8**
Kennel Wood. *Asc* —4D **8**
Kennet Ct. *Wokgm* —6D **2**
Kent Clo. *Wokgm* —1B **10**
Kent Folly. *Warf* —2F **7**
Kentigern Dri. *Crowt* —3F **21**
Kenton Clo. *Brack* —5D **6**
Kesteven Way. *Wokgm* —6C **2**
Kestrel Way. *Wokgm* —6C **2**
Ketcher Grn. *Binf* —1E **5**
Kevins Dri. *Yat* —3B **22**
Keynsham Way. *Owl* —6F **21**
Kibble Grn. *Brack* —3C **14**
Kier Pk. *Asc* —6G **9**
Kilmington Clo. *Brack* —4E **15**
Kilmuir Clo. *Col T* —3F **23**
Kiln La. *Asc* —2C **18**

Kiln La. *Brack* —5A **6**
Kiln La. *Wink* —2F **9**
Kiln Ride. *Finch* —6E **11**
Kimberley. *Brack* —5C **14**
Kimmeridge. *Brack* —3E **15**
King Edward's Clo. *Asc* —4C **8**
King Edward's Ri. *Asc* —3C **8**
King Edward's Rd. *Asc* —4C **8**
Kingsbridge Cotts. *Wokgm* —1A **20**
King's Keep. *Sand* —1D **22**
Kingsley Clo. *Crowt* —5D **20**
Kingsmere Rd. *Brack* —4H **5**
King's Ride. *Asc* —2A **16**
King's Rd. *Asc* —2H **17**
King's Rd. *Crowt* —4D **20**
King St. La. *Winn* —3A **2**
King's Wlk. *Col T* —4H **23**
Kingsway. *B'water* —5F **23**
Kingswick Clo. *Asc* —1A **18**
Kingswick Dri. *Asc* —1H **17**
Kings Yd. *Asc* —1C **16**
Kinross Av. *Asc* —2D **16**
Kinross Ct. *Asc* —2D **16**
Kirkham Clo. *Owl* —6F **21**
Knightswood. *Brack* —5B **14**
Knole Wood. *Asc* —5A **18**
Knook, The. *Col T* —3F **23**
Knowles Av. *Crowt* —3B **20**
Knox Grn. *Binf* —1E **5**
Kyle Clo. *Brack* —6B **6**

Laburnum Rd. *Winn* —3A **2**
Laburnums, The. *B'water* —5D **22**
Ladybank. *Brack* —5B **14**
Lady Margaret Rd. *Asc* —5B **18**
Lake End Way. *Crowt* —4C **20**
Lakeside. *Brack* —3C **6**
Lakeside Bus. Pk. *Sand* —3C **22**
Lakeside, The. *B'water* —6F **23**
Lalande Clo. *Wokgm* —6C **2**
Lambert Cres. *B'water* —6E **23**
Lamborne Clo. *Sand* —1C **22**
Lambourne Gro. *Brack* —5E **7**
Lammas Mead. *Binf* —3G **5**
Lancashire Hill. *Warf* —2F **7**
Lancaster Ho. *Brack* —2B **14**
Lanchester Dri. *Crowt* —1E **21**
Landen Ct. *Wokgm* —2F **11**
Landseer Clo. *Col T* —4G **23**
Langborough Rd. *Wokgm* —1G **11**
Langdale Dri. *Asc* —5C **8**
Larch Av. *Asc* —2A **18**
Larch Av. *Wokgm* —5E **3**
Larches, The. *Warf P* —3G **7**
Larches Way. *B'water* —5D **22**
Larchwood. *Brack* —2F **15**
Larges Bri. Dri. *Brack* —6C **6**
Larges La. *Brack* —5C **6**
Larkspur Clo. *Wokgm* —5B **2**
Larkswood Clo. *Sand* —1C **22**
Larkswood Dri. *Crowt* —3D **20**
Latimer. *Brack* —5B **14**
Latimer Rd. *Wokgm* —1F **11**
Laud Way. *Wokgm* —6A **4**
Laundry La. *Sand* —4G **23**
Lauradale. *Brack* —1A **14**
Laurel Clo. *Wokgm* —3D **14**
Laurel Ct. *Brack* —1F **15**
  (off Wayland Clo.)
Lawford Cres. *Yat* —4A **22**
Lawns, The. *Asc* —6B **8**
Lawrence Clo. *Wokgm* —6H **3**
Lawrence Gro. *Binf* —4F **5**
Lawrence Way. *Camb* —6H **23**
Lawson Way. *Asc* —3D **18**
Leacroft. *Asc* —2C **18**
Lea Cft. *Crowt* —2D **20**
Leafield Copse. *Brack* —1F **15**
Lea, The. *Wok* —6D **10**
Leaves Grn. *Brack* —3D **14**
Leicester. *Brack* —4E **15**
Leith Clo. *Crowt* —1C **20**
Lemington Gro. *Brack* —3B **14**
Leney Clo. *Wokgm* —4H **3**
Lenham Clo. *Winn* —3D **2**
Leppington. *Brack* —5B **14**
Letcombe Sq. *Brack* —1E **15**
Leverkusen Rd. *Brack* —6B **6**
Lewisham Way. *Owl* —1H **23**
Lewis Ho. *Brack* —3B **14**
Leyside. *Crowt* —3C **20**
Lichfields. *Brack* —5E **7**
Liddell Way. *Asc* —2D **16**

Lightwood. *Brack* —3D **14**
Lilacs, The. *Wokgm* —3A **10**
Lilley Ct. *Crowt* —4D **20**
Lily Ct. *Wokgm* —6F **3**
Lily Hill Dri. *Brack* —5E **7**
Lily Hill Rd. *Brack* —5E **7**
Lime Av. *Asc* —3H **15**
Lime Clo. *Wokgm* —1D **10**
Limerick Clo. *Brack* —4A **6**
Lime Wlk. *Brack* —1C **14**
Limmer Clo. *Wokgm* —2A **10**
Limmerhill Rd. *Wokgm* —1C **10**
Lincolnshire Gdns. *Warf* —3E **7**
Lindale Clo. *Vir W* —1H **19**
Linden. *Brack* —2F **15**
Linden Clo. *Wokgm* —1D **10**
Lindenhill Rd. *Brack* —4H **5**
Lindsey Clo. *Wokgm* —6C **2**
Lingwood. *Brack* —3C **14**
Links, The. *Asc* —5C **8**
Linkway. *Crowt* —3B **20**
Linnet Wlk. *Wokgm* —6C **2**
Liscombe. *Brack* —4B **14**
Liscombe Ho. *Brack* —4B **14**
Little Cft. *Yat* —3A **22**
Littledale Clo. *Brack* —6E **7**
Lit. Hill Rd. *Brack* —1B **2**
Little Moor. *Sand* —1E **23**
Little Ringdale. *Brack* —1E **15**
Little Sandhurst. —1C 22
Llangar Gro. *Crowt* —3C **20**
Llanvair Clo. *Asc* —3E **17**
Llanvair Dri. *Asc* —3D **16**
Lochinver. *Brack* —4B **14**
Locks Ride. *Asc* —4H **7**
Lockton Chase. *Asc* —6B **8**
Lodge Gro. *Yat* —4B **22**
Lodges, The. *Finch* —5B **10**
London Rd. *Asc & Vir W* —2E **19**
London Rd. *Binf & Brack* —5D **4**
London Rd. *B'water & Camb* —6F **23**
London Rd. *Brack & Asc* —5C **6**
London Rd. *Eve & B'water* —6D **22**
London Rd. *Wokgm* —6H **3**
Longdon Rd. *Winn* —3A **2**
Longdown Lodge. *Sand* —2D **22**
Longdown Rd. *Sand* —1C **22**
Long Hill Rd. *Asc* —5G **7**
Long La. *Wok* —2B **4**
Long Mickle. *Sand* —1C **22**
Longmoors. *Brack* —4G **5**
Longshot Ind. Est. *Brack* —5G **5**
Longshot La. *Brack* —6G **5**
  (Doncastle Rd.)
Longshot La. *Brack* —5G **5**
  (Downmill Rd.)
Long's Way. *Wokgm* —5A **4**
Longwater Rd. *Brack* —3C **14**
Lookout Countryside &
  Heritage Cen., The. —5D **14**
Loughborough. *Brack* —3E **15**
Lovedean Ct. *Brack* —3E **15**
Lovelace Rd. *Brack* —1G **13**
Lovel La. *Wink* —1E **9**
Lovel Rd. *Wink* —1E **8**
Lowbury. *Brack* —1E **15**
Lwr. Broadmoor Rd. *Crowt* —4E **21**
Lwr. Church Rd. *Sand* —1A **22**
Lower Moor. *Yat* —5A **22**
Lower Nursery. *Asc* —2C **18**
Lwr. Sandhurst Rd. *Finch &
  Sand* —1A **22**
Lower Ter. *Sind* —4A **2**
Lwr. Village Rd. *Asc* —2F **17**
Lwr. Wokingham Rd. *Finch &
  Crowt* —2A **20**
Lowlands Rd. *B'water* —6E **23**
Lowry Clo. *Col T* —4F **23**
Lowther Clo. *Wokgm* —4D **2**
Lowther Rd. *Wokgm* —3C **2**
Luckley Path. *Wokgm* —6G **3**
  (in two parts)
Luckley Rd. *Wokgm* —3F **11**
Luckley Wood. *Wokgm* —3F **11**
Ludgrove. *Wokgm* —3H **11**
Ludlow. *Brack* —4B **14**
Lupin Ride. *Crowt* —6D **12**
Lutterworth Clo. *Brack* —3B **6**
Lychett Minster Clo. *Brack* —1F **15**
Lych Ga. Clo. *Sand* —2B **22**
Lydbury. *Brack* —6F **7**
Lydney. *Brack* —4B **14**
Lyndhurst Av. *B'water* —4E **23**
Lyndhurst Clo. *Brack* —6G **7**

Lyndhurst Rd. *Asc* —1E **17**
Lyneham Rd. *Crowt* —3D **20**
Lynwood Chase. *Brack* —3C **6**
Lynwood Cres. *Asc* —3A **18**
Lyon Oaks. *Warf* —2B **6**
Lyon Rd. *Crowt* —2E **21**
Lytham. *Brack* —3G **13**
Lytham Ct. *S'hill* —2G **17**

Macadam Av. *Crowt* —1E **21**
Macbeth Ct. *Warf* —4E **7**
Macphail Clo. *Wokgm* —4A **4**
Madingley. *Brack* —5B **14**
Madox Brown End. *Col T* —3G **23**
Magdalene Rd. *Owl* —6H **21**
Magnolia Clo. *Owl* —1F **23**
Magnolia Way. *Wokgm* —1D **10**
Maidenhead Rd. *Binf* —1B **6**
Maidenhead Rd. *Wokgm* —1A **4**
Maidensfield. *Winn* —2B **2**
Main Dri. *Brack* —3F **7**
Mainprize Rd. *Brack* —4E **7**
Maize La. *Warf* —2D **6**
Makepeace Rd. *Brack* —3B **6**
Malham Fell. *Brack* —1A **14**
Mallowdale Rd. *Brack* —4E **15**
Malt Hill. *Warf* —1E **6**
Manor Clo. *Brack* —3A **6**
Manor Ho. Dri. *Asc* —3E **9**
Manor Pk. Dri. *Finch* —6A **10**
Manor Rd. *Wokgm* —4E **11**
Mansfield Clo. *Asc* —4B **8**
Mansfield Cres. *Brack* —3B **14**
Mansfield Pl. *Asc* —5B **8**
Mansfield Rd. *Wokgm* —1D **10**
Manston Dri. *Brack* —3C **14**
Maple Clo. *B'water* —5E **23**
Maple Clo. *Sand* —1B **22**
Maple Clo. Winn —1B 2
  (off Meadow Vw.)
Maple Ct. *Brack* —1F **15**
Maple Dri. *Crowt* —1E **21**
Maple Gdns. *Yat* —5A **22**
Marbull Way. *Warf* —2B **6**
Marcheria Clo. *Brack* —3B **14**
Mareshall Av. *Warf* —2B **6**
Marigold Clo. *Crowt* —1B **20**
Market Pl. *Brack* —5B **6**
Market Pl. *Wokgm* —6G **3**
Market St. *Brack* —5B **6**
Markham M. *Wokgm* —6F **3**
Marks Rd. *Wokgm* —4E **3**
Marlborough Ct. *Wokgm* —5H **3**
Mars Clo. *Wokgm* —6C **2**
Marshall Rd. *Col T* —3F **23**
Marsham Ho. *Brack* —3B **6**
Marston Way. *Asc* —5C **8**
Martins Clo. *B'water* —2B **23**
Martin's Dri. *Wokgm* —4F **3**
Martin's Heron. —6F 7
Martin's La. *Brack* —6E **7**
Maryland. *Finch* —6C **10**
Mary Mead. *Warf* —2D **6**
Masefield Gdns. *Crowt* —5D **20**
Mason Clo. *Yat* —5A **22**
Mason Pl. *Sand* —2B **22**
Matthews Chase. *Binf* —3H **5**
Matthews Ct. *Asc* —1H **17**
Matthewsgreen. —4E 3
Matthewsgreen Rd. *Wokgm* —4E **3**
Maxine Clo. *Sand* —1D **22**
Maybrick Clo. *Sand* —1B **22**
May Clo. *Owl* —2F **23**
Mays Cft. *Brack* —1A **14**
May's Rd. *Wokgm* —6A **4**
McCarthy Way. *Finch* —6D **10**
McKernan Ct. *Sand* —2B **22**
Meachen Ct. *Wokgm* —6C **3**
Meadow Clo. *B'water* —6F **23**
Meadow Rd. *Vir W* —2G **19**
Meadow Rd. *Wokgm* —1E **11**
Meadows, The. *Camb* —5G **23**
Meadow Vw. *Winn* —1B **2**
Meadow Wlk. *Wokgm* —6E **3**
Meadow Way. *B'water* —5B **23**
Meadow Way. *Brack* —3A **6**
Meadow Way. *Wokgm* —1E **11**
Medina Clo. *Wokgm* —5C **2**
Medway Clo. *Wokgm* —5C **2**
Melbourne Av. *Winn* —3A **2**
Melksham Clo. *Owl* —1F **23**
Melody Clo. *Winn* —1A **2**
Melrose. *Brack* —5B **14**

Membury Wlk. *Brack* —1E **15**
Mendip Rd. *Brack* —2E **15**
Mercury Av. *Wokgm* —6C **2**
Meridian Ct. *S'dale* —5F **17**
Merlewood. *Brack* —2D **14**
Merlin Clove. *Wink R* —2H **7**
Merryhill Chase. *Winn* —1A **2**
Merryhill Green. —1B 2
Merryhill Grn. La. *Winn* —1B **2**
Merryhill Rd. *Brack* —3A **6**
Merryman Dri. *Crowt* —2B **20**
Merryweather Clo. *Wokgm* —5D **10**
Merton Clo. *Owl* —6H **21**
Metro Bus. Cen., The. *Wokgm*
  —2E **3**
Michaelmas Clo. *Yat* —6A **22**
Micheldever Way. *Brack* —3F **15**
Mickle Hill. *Sand* —1C **22**
Milbanke Ct. *Brack* —5H **5**
Milbanke Way. *Brack* —5H **5**
Mill Clo. *Wokgm* —5D **2**
Mill Grn. *Binf* —3G **5**
Millins Clo. *Owl* —1G **23**
Mill La. *Brack* —1H **13**
Mill La. *Yat & Sand* —2A **22**
Mill Mead. *Wokgm* —5E **3**
Millmere. *Yat* —3A **22**
Mill Ride. *Asc* —4A **8**
Milman Clo. *Brack* —5G **7**
Milton Clo. *Brack* —3B **14**
Milton Ct. *Wokgm* —5F **3**
Milton Dri. *Wokgm* —5F **3**
Milton Gdns. *Wokgm* —6F **3**
Milton Rd. *Wokgm* —4F **3**
Milward Gdns. *Binf* —5E **5**
Minchin Grn. *Binf* —1E **5**
Minden Clo. *Wokgm* —6C **2**
Minoru Pl. *Binf* —1F **5**
Minstead Clo. *Brack* —6F **7**
Minster Ct. *Camb* —6H **23**
Mitre Clo. *Warf* —2B **6**
Moffats Clo. *Sand* —2C **22**
Moles Clo. *Wokgm* —1H **11**
Moordale Av. *Brack* —4G **5**
Moores Grn. *Wokgm* —4A **4**
Moor La. *Brack* —4E **5**
Moor Pk. Ho. Brack —3G 13
  (off St Andrews)
Moors Ct. Winn —6C 10
  (off Ditchfield La.)
Moray Av. *Col T* —2F **23**
  (in two parts)
Mordaunt Dri. *Wel C* —5D **20**
Morden Clo. *Brack* —1F **15**
Mornington Av. *Finch* —6D **10**
Mostyn Ho. Brack —3B 6
  (off Merryhill Rd.)
Mountbatten Ri. *Sand* —1B **22**
Mount La. *Brack* —6C **6**
Mount Pleasant. *Brack* —6C **6**
  (in two parts)
Mount Pleasant. *Sand* —1C **22**
Mount Pleasant. *Wokgm* —6E **3**
Mower Clo. *Wokgm* —5B **4**
Muirfield Ho. Brack —3G 13
  (off St Andrews)
Mulberry Bus. Pk. *Wokgm* —2E **11**
Mulberry Clo. *Crowt* —4E **21**
Mulberry Clo. *Owl* —2F **23**
Mulberry Ct. *Brack* —2E **15**
Mulberry Ct. *Wokgm* —6G **3**
Mulberry Ho. *Brack* —3B **6**
Munday Ct. *Binf* —3G **5**
Munnings Dri. *Col T* —4F **23**
Murdoch Rd. *Wokgm* —1G **11**
Murray Av. *Asc* —3G **17**
Murray Rd. *Wokgm* —6E **3**
Murrellhill La. *Binf* —3E **5**
Mushroom Castle. *Wink R* —2H **7**

Mutton Hill. *Brack* —4E **5**
Mutton Oaks. *Binf* —5F **5**
Mylne Sq. *Wokgm* —6H **3**
Myrtle Dri. *B'water* —5F **23**

Napier Clo. *Crowt* —3E **21**
Napier Rd. *Crowt* —4E **21**
Napper Clo. *Asc* —5A **8**
Naseby. *Brack* —5B **14**
Nash Gdns. *Asc* —5C **8**
Nash Grove. —5C 10
Nash Gro. La. *Finch* —4C **10**
Nashgrove Ride. *Wok* —4A **10**
Nash Pk. *Binf* —2D **4**
Nell Gwynne Av. *Asc* —1H **17**
Nell Gwynne Clo. *Asc* —1H **17**
Nelson Clo. *Brack* —4E **7**
Nelson Way. *Camb* —6H **23**
Neptune Clo. *Wokgm* —6C **2**
Netherton. *Brack* —1A **14**
Nettlecombe. *Brack* —3D **14**
Neuman Cres. *Brack* —3A **14**
Nevelle Clo. *Binf* —4F **5**
Newell Green. —1D 6
Newell Grn. *Warf* —1C **6**
New Forest Ride. *Brack* —1F **15**
Newhurst Gdns. *Warf* —1D **6**
Newmans Pl. *S'dale* —4D **18**
New Mdw. *Asc* —4B **8**
New Mile Rd. *Asc* —5F **9**
New Rd. *Asc* —3C **8**
New Rd. *B'water* —6G **23**
New Rd. *Brack* —5D **6**
New Rd. *Crowt* —3E **21**
New Rd. *Sand* —2C **22**
Newtown Rd. *Sand* —2D **22**
New Wokingham Rd. *Wokgm &*
  Crowt —1C **20**
Nightingale Cres. *Brack* —2C **14**
Nightingale Gdns. *Sand* —2D **22**
Nine Mile Ride. *Asc* —4C **16**
Nine Mile Ride. *Crowt & Brack* —5H **13**
Nine Mile Ride. *Finch & Wokgm*
  —6A **10**
Niven Ct. *S'hill* —1H **17**
Nook, The. *Sand* —2C **22**
Norfolk Chase. *Warf* —3F **7**
Norfolk Clo. *Wokgm* —6C **2**
Norman Keep. *Warf* —4F **7**
Norreys Av. *Wokgm* —6H **3**
Northampton Clo. *Brack* —6D **6**
North Ascot. —4B 8
Northbrook Copse. *Brack* —3F **15**
Northcott. *Brack* —5A **14**
North Dri. *Vir W* —3G **19**
N. End La. *Asc* —4D **18**
Northerams Woods Nature
  Reserve. —1H **13**
North Fryerne. *Yat* —2A **22**
North Grn. *Brack* —4D **6**
Northington Clo. *Brack* —3F **15**
N. Lodge Dri. *Asc* —5A **8**
North Rd. *Asc* —4H **7**
Northumberland Clo. *Warf* —3F **7**
North Vw. *Binf* —6E **5**
North Way. *Wokgm* —5B **2**
Norton Pk. *Asc* —2G **17**
Norton Rd. *Wokgm* —1G **11**
Nuffield Dri. *Owl* —1H **23**
Nugee Ct. *Crowt* —3D **20**
Nuneaton. *Brack* —3E **15**
Nursery La. *Asc* —4C **8**
Nuthurst. *Brack* —2E **15**
Nutley. *Brack* —5A **14**

Oak Av. *Owl* —1F **23**
Oakdale. *Brack* —3D **14**
Oakdene. *Asc* —3B **18**
Oakengates. *Brack* —5A **14**
Oakey Dri. *Wokgm* —1F **11**
Oak Farm Clo. *B'water* —5E **23**
Oakfield Ct. *Wokgm* —1D **10**
Oakfield Rd. *B'water* —6G **23**
Oak Grove. —4G 23
Oak Gro. Cres. *Col T* —4G **23**
Oaklands. *Yat* —4A **22**
Oaklands Bus. Cen. *Wokgm* —3D **10**
Oaklands Clo. *Asc* —3D **8**
Oaklands Dri. *Asc* —3D **8**
Oaklands Dri. *Wokgm* —2D **10**
Oaklands La. *Crowt* —2C **20**
  (in two parts)

Oaklands Pk. *Wokgm* —2E **11**
Oak Leaf Ct. *Asc* —4B **8**
Oak Lodge. *Crowt* —3E **21**
Oakmede Pl. *Binf* —2E **5**
Oaks, The. *Brack* —5D **6**
Oak Tree M. *Brack* —6D **6**
Oaktree Way. *Sand* —1C **22**
Oak Vw. *Wokgm* —2F **11**
Oakwood Rd. *Brack* —5E **7**
Oareborough. *Brack* —1E **15**
Ocean Ho. *Brack* —5B **6**
Octavia. *Brack* —5A **14**
Okingham Clo. *Wokgm* —6F **21**
Old Bracknell Clo. *Brack* —6B **6**
Old Bracknell La. E. *Brack* —6B **6**
Old Bracknell La. W. *Brack* —6A **6**
Oldbury. *Brack* —6H **5**
Olde Farm Dri. *B'water* —4D **22**
Old Farm Dri. *Brack* —3C **6**
Old Forest Rd. *Winn & Wokgm* —4C **2**
Old Forge End. *Sand* —3D **22**
Old Lands Hill. *Brack* —4D **6**
Old Pharmacy Ct. *Crowt* —4D **20**
Old Priory La. *Warf* —2D **6**
Old Row Ct. *Wokgm* —6G **3**
Old Sawmill La. *Crowt* —2E **21**
Oldstead. *Brack* —2D **14**
Old Welmore. *Yat* —5A **22**
Old Wokingham Rd. *Wokgm &*
  Crowt —4D **12**
Old Woosehill La. *Wokgm* —5D **2**
Oleander Clo. *Crowt* —1B **20**
Oliver Rd. *Asc* —1E **17**
Olivia Ct. *Wokgm* —6F **3**
Ollerton. *Brack* —5A **14**
Onslow Dri. *Asc* —3E **9**
Onslow Rd. *Asc* —4D **18**
Opal Way. *Wokgm* —5C **2**
Opladen Way. *Brack* —2C **14**
Oracle Cen. *Brack* —5C **6**
Orbit Clo. *Finch* —6B **10**
Orchard Clo. *Wokgm* —6H **3**
Orchard Ct. *Brack* —5C **6**
Orchard Ga. *Sand* —2D **22**
Orchard Pl. *Wokgm* —6G **3**
Oregon Wlk. *Finch* —5A **10**
Oriental Rd. *Asc* —1H **17**
Orion. *Brack* —5A **14**
Ormathwaites Corner. *Warf* —3E **7**
Ormonde Rd. *Wokgm* —1E **11**
Osborne La. *Warf* —1C **6**
Osborne Rd. *Wokgm* —6G **3**
Osman's Clo. *Brack* —3H **7**
Osterley Clo. *Wokgm* —1B **12**
Oswald Clo. *Warf* —3E **7**
Othello Gro. *Warf* —4E **7**
Otter Clo. *Crowt* —1C **20**
Overbury Av. *Wokgm* —3D **2**
Owl Clo. *Wokgm* —1C **10**
Owlsmoor. —1G 23
Owlsmoor Rd. *Owl* —2E **23**
Oxenhope. *Brack* —1A **14**
Oxford Rd. *Owl* —6G **21**
Oxford Rd. *Wokgm* —5E **3**

Paddock, The. *Brack* —6C **6**
Paddock, The. *Crowt* —2C **20**
Page's Cft. *Wokgm* —1H **11**
Paice Grn. *Wokgm* —5H **3**
Pakenham Rd. *Brack* —4D **14**
Palmer Clo. *Wokgm* —6C **12**
Palmer Ct. *Brack* —3A **6**
Palmer Ct. *Wokgm* —6G **3**
Palmer School Rd. *Wokgm* —6G **3**
Pankhurst Dri. *Brack* —2D **14**
Parade, The. *Yat* —4A **22**
Park Av. *Wokgm* —1F **11**
  (in two parts)
Park Cres. *Asc* —2B **18**
Park Dri. *Asc* —3B **18**
Parkhill Clo. *B'water* —6F **23**
Parkhill Rd. *B'water* —6F **23**
Parkland Dri. *Brack* —4E **7**
Park La. *Binf* —4G **5**
Park Rd. *Brack* —5D **6**
Park Rd. *Sand* —3E **23**
Park Rd. *Wokgm* —6F **3**
Parkside Rd. *Asc* —3C **18**
Parkway. *Crowt* —3C **20**
Parsons Fld. *Sand* —2D **22**
Parson's Ride. *Brack* —4F **15**
Pathway, The. *Binf* —1H **5**
Patrick Gdns. *Warf* —3E **7**

Patten Ash Dri. *Wokgm* —5A 4
Payley Dri. *Wokgm* —4A 4
Peach St. *Wokgm* —6G 3
Peacock Cotts. *Brack* —1E 13
Peacock La. *Wokgm & Brack* —2D 12
Peacock Wlk. *Wokgm* —1C 10
Peddlars Gro. *Yat* —4A 22
Peel Cen., The. *Brack* —5A 6
Peggotty Pl. *Owl* —6G 21
Pembroke. *Brack* —4H 13
Pembroke Clo. *Asc* —2H 17
Pembroke M. *Asc* —2H 17
Pembroke Pde. *Yat* —3A 22
Pendine Pl. *Brack* —2B 14
Pendlebury. *Brack* —4A 14
Pensford Clo. *Crowt* —1D 20
Penwood Gdns. *Brack* —3F 13
Peregrine Clo. *Brack* —2B 14
Peregrine Clo. *Wokgm* —1D 10
Perkins Way. *Wokgm* —1E 11
Perryhill Dri. *Sand* —1B 22
Perry Oaks. *Brack* —5E 7
Perry Way. *Brack* —5E 7
Peterhouse Clo. *Owl* —6H 21
Petrel Clo. *Wokgm* —1C 10
Pewsey Va. *Brack* —2F 15
Pheasant Clo. *Winn* —2A 2
Phillip Copse. *Brack* —4D 14
Phoenix Bus. Pk. *Brack* —5E 5
Phoenix Clo. *Wokgm* —6C 2
Pickering. *Brack* —1A 14
Picket Post Clo. *Brack* —6F 7
Pigott Rd. *Wokgm* —4H 3
Pine Clo. *Ryl M* —3G 23
Pinecote Dri. *Asc* —4B 18
Pine Ct. *Brack* —1E 15
Pine Cft. Rd. *Wokgm* —4E 11
Pine Dri. *B'water* —6G 23
Pine Dri. *Finch* —6E 11
Pinefields Clo. *Crowt* —3D 20
Pinehill Ri. *Sand* —2E 23
Pinehill Rd. *Crowt* —4D 20
Pinehurst. *S'hill* —2H 17
Pinewood. —1D 20
Pinewood Av. *Crowt* —2E 21
Pinewood Cvn. Pk. *Wokgm* —6E 13
Pinewood Clo. *Sand* —2B 22
Pinewood Rd. *Vir W* —1H 19
Pipsons Clo. *Yat* —4A 22
Pitch Pl. *Binf* —1F 5
Pitts Clo. *Binf* —2F 5
Plantagenet Pk. *Warf* —4F 7
Plateau, The. *Warf P* —3G 7
Ploughlands. *Brack* —4H 5
Plough La. *Wokgm* —5B 4
Plough Rd. *Yat* —3A 22
Plover Clo. *Wokgm* —1D 10
Pocket Clo. *Binf* —5F 5
Pollardrow Av. *Brack* —4H 5
(in two parts)
Polyanthus Way. *Crowt* —6D 12
Pond Cft. *Yat* —4A 22
Pond Moor Rd. *Brack* —2B 14
Popeswood. —3F 5
Popeswood Rd. *Binf* —3F 5
Popham Clo. *Brack* —2F 15
Poplar Clo. *Brack* —6D 6
Poplar La. *Winn* —1B 2
Poplars, The. *Asc* —2E 17
Poppy Pl. *Wokgm* —6F 3
Porchester. *Asc* —1E 17
Portia Gro. *Warf* —4E 7
Portman Clo. *Brack* —4A 6
Portnall Dri. *Vir W* —1H 19
Portnall Ri. *Vir W* —2H 19
Portnall Rd. *Vir W* —2H 19
Potbury Clo. *Wink* —2F 9
Potley Hill Rd. *Yat* —4B 22
Poyle Gdns. *Brack* —4D 6
Prescott. *Brack* —4H 13
Price Gdns. *Warf* —2B 6
Prides Crossing. *Asc* —3E 9
Priest Av. *Wokgm* —1B 12
Priestwood. —4A 6
Priestwood Av. *Brack* —4H 5
Priestwood Ct. Rd. *Brack* —4A 6
Priestwood Sq. *Brack* —4H 5
Priestwood Ter. *Brack* —4A 6
Primrose La. *Winn* —1A 2
Primrose Wlk. *Wokgm* —2C 14
Primrose Way. *Sand* —1D 22
Prince Albert Dri. *Asc* —1B 16
Prince Andrew Way. *Asc* —5B 8
Prince Consort Dri. *Asc* —1B 16

Prince Dri. *Sand* —1C 22
Princess Sq. *Brack* —5B 6
Prior's La. *B'water* —6C 22
Priors Wood. *Crowt* —4A 20
Priory Clo. *Asc* —4C 18
Priory Ct. *Camb* —5H 23
Priory Ct. *Winn* —1A 2
Priory La. *Brack* —3C 6
Priory Rd. *Asc* —4H 7
Priory Rd. *S'dale* —4E 18
Priory, The. *Winn* —1A 2
Priory Wlk. *Brack* —1F 15
Proctors Rd. *Wokgm* —6B 4
Purbrook Ct. *Brack* —3E 15
Purcell Rd. *Crowt* —1D 20
Purslane. *Wokgm* —1H 11
Pyegrove Chase. *Brack* —4E 15
Pyke Clo. *Wokgm* —6H 3

Quadrant Ct. *Brack* —6E 7
Qualitas. *Brack* —5H 13
Quarry La. *Yat* —5A 22
Quartz Clo. *Wokgm* —5B 2
Quebec Gdns. *B'water* —6F 23
Queen's Clo. *Asc* —4C 8
Queens Hill Ri. *Asc* —6G 9
Queens Pine. *Brack* —3E 15
Queens Pl. *Asc* —6E 9
Queens Ride. *Crowt* —1C 20
Queen's Rd. *Asc* —2H 17
Queensway. *Brack* —4H 5
Queen Victoria's Wlk. *Col T*
—4H 23
Quelm La. *Brack* —3B 6
Quelm La. *Warf* —2B 6
Quince Clo. *Asc* —1G 17
Quintilis. *Brack* —5H 13
(in two parts)

Rachael's Lake Vw. *Warf* —3E 7
Rackstraw Rd. *Sand* —1E 23
Radcliffe Way. *Brack* —4G 5
Radical Ride. *Finch* —5B 10
Radnor Rd. *Brack* —6F 7
Raeburn Way. *Col T* —4F 23
Rainbow Rd. *Winn* —2A 2
Ralph's Ride. *Brack* —6E 7
(in two parts)
Ramsbury Clo. *Brack* —3G 13
Ramslade Cotts. *Brack* —6C 6
Ramslade Rd. *Brack* —1D 14
Ranald Ct. *Asc* —2D 8
Rances La. *Wokgm* —6A 4
Randall Mead. *Binf* —2D 4
Ranelagh Cres. *Asc* —4A 8
Ranelagh Dri. *Brack* —6C 6
Range Ride. *Ryl M* —3H 23
Range Vw. *Col T* —2G 23
Rapley Grn. *Brack* —3C 14
Ravensdale Rd. *Asc* —3E 17
Ravenswood Av. *Crowt* —3A 20
Rawlinson Rd. *Camb* —4H 23
Reading Rd. *Winn & Wokgm*
—2A 2
Reading Rd. *Yat & B'water* —3A 22
Rectory Clo. *Brack* —1C 14
Rectory Clo. *Sand* —2B 22
Rectory Clo. *Wokgm* —6G 3
Rectory La. *Brack* —2B 14
Rectory Rd. *Wokgm* —6G 3
Rectory Row. *Brack* —1B 14
Redditch. *Brack* —4D 14
Redgauntlet. *Finch* —6A 10
Redlake La. *Wokgm* —4B 12
Redlands Pl. *Wokgm* —4D 10
Red Rose. *Binf* —1E 5
Redvers Rd. *Brack* —2B 14
Redwood Dri. *Asc* —3D 18
Reed's Hill. *Brack* —2A 14
Reeves Way. *Wokgm* —2E 11
Regents Pl. *Sand* —2E 23
Regents Wlk. *Asc* —3G 17
Rembrandt Clo. *Wokgm* —6B 2
Reynards Clo. *Winn* —2A 2
Reynolds Grn. *Col T* —4F 23
Rhododendron Clo. *Asc* —3C 8
Rhododendron Wlk. *Asc* —3C 8
Richmond Ho. *Sand* —3G 23
Richmond Ri. *Wokgm* —5C 2
Richmond Rd. *Col T* —2G 23
Richmondwood. *Asc* —5D 18
Rickman Clo. *Brack* —3C 14

Ridge Mt. Rd. *Asc* —6C 18
Ridge, The. *S'dale* —4C 18
Ridgeway, The. *Brack* —6C 6
Riding Way. *Wokgm* —6B 2
Ringmead. *Brack* —2G 13
(in two parts)
Ring, The. *Brack* —5B 6
Ringwood. *Brack* —4H 13
Ringwood Clo. *Asc* —1F 17
Ringwood Rd. *B'water* —4E 23
Ripplesmere. *Brack* —1D 14
Ripplesmere Clo. *Sand* —2D 22
Rise Rd. *Asc* —2A 18
Rise, The. *Crowt* —3B 20
Rise, The. *S'dale* —3A 18
Rise, The. *Wokgm* —5E 3
Roberts Gro. *Wokgm* —2D 10
Roberts Rd. *Camb* —4H 23
Robin Hood La. *Winn* —2A 2
Robin Hood Way. *Winn* —1A 2
Robin La. *Sand* —2D 22
(in two parts)
Roby Dri. *Brack* —4D 14
Rockfield Way. *Col T* —2F 23
Roebuck Est. *Binf* —3E 5
Rokeby Clo. *Brack* —4D 6
Roman Ride. *Crowt* —3A 20
Roman Way. *Warf* —4F 7
Romeo Hill. *Warf* —4F 7
Romney Ho. *Brack* —1E 15
Romsey Clo. *B'water* —4E 23
Rook Clo. *Wokgm* —1C 10
Rookswood. *Brack* —3B 6
Rookwood Av. *Owl* —6G 21
Rosebay. *Wokgm* —4A 4
Rose Ct. *Wokgm* —6G 3
Rosedale. *Binf* —1E 5
Rosedale Gdns. *Brack* —2A 14
Rosedene La. *Col T* —4F 23
Rose Gdns. *Wokgm* —6G 3
Rose Hill. *Binf* —1E 5
Rosemary Clo. *B'water* —5E 23
Rosemary La. *B'water* —4E 23
Rose St. *Wokgm* —6G 3
Rossett Clo. *Brack* —1B 14
Rother Clo. *Sand* —2E 23
Rotherfield Av. *Wokgm* —5D 2
Rothwell Ho. *Crowt* —4E 21
Roughgrove Copse. *Binf* —2D 4
Roundabout La. *Winn* —4B 2
Round Clo. *Yat* —5B 22
Roundshead Dri. *Warf* —4D 6
Rounds Hill. —4H 5
Rounds Hill. *Brack* —4G 5
Rowan. *Brack* —2F 15
Rowan Clo. *Wokgm* —1D 10
Rowan Dri. *Crowt* —1E 21
Rowley Clo. *Brack* —6E 7
Royal Oak Clo. *Wokgm* —4A 22
Royal Oak Dri. *Crowt* —6D 12
Royal Victoria Gdns. *S Asc* —1E 17
Roycroft La. *Finch* —6C 10
Ruby Clo. *Wokgm* —5B 2
Rugby Clo. *Owl* —1G 23
Ruskin Ct. *Crowt* —4A 20
Ruskin Way. *Wokgm* —6B 2
Russell Clo. *Brack* —5D 14
Russell Ct. *B'water* —5F 23
Russell Way. *Winn* —3A 2
Russley Grn. *Wokgm* —5E 11
Ruston Way. *Asc* —5B 8
Ryan Mt. *Sand* —2C 22
Rye Clo. *Brack* —3D 6
Ryecroft Gdns. *B'water* —6G 23

Saddler Corner. *Sand* —3D 22
Sadlers Ct. *Winn* —4B 2
Sadlers End. *Sind* —5A 2
Sadlers La. *Winn* —4B 2
Saffron Rd. *Brack* —1B 14
Sage Wlk. *Warf* —3D 6
St Andrews. *Brack* —3G 13
St Andrew's Clo. *Crowt* —2B 20
St Annes Dri. *Wokgm* —6C 4
St Anthonys Clo. *Brack* —3F 5
St Christophers Gdns. *Asc* —4B 8
St Georges Ct. *Owl* —6G 21
St George's La. *Asc* —6F 9
(in two parts)
St Helens Cres. *Sand* —2D 22
St Helier Clo. *Wokgm* —3F 11
St James Rd. *Finch* —6C 10
St John's Rd. *Asc* —3D 8

St John's Rd. *Sand* —3D 22
St Johns St. *Crowt* —3D 20
St Mark's Rd. *Binf* —3E 5
St Mary's Clo. *Sand* —2E 23
St Mary's Hill. *Asc* —3G 17
St Mary's Rd. *Asc* —4F 17
St Michaels Cotts. *Wokgm* —6E 13
St Michael's Rd. *Sand* —2B 22
St Paul's Ga. *Wokgm* —6E 3
St Peter's Gdns. *Yat* —4A 22
St Sebastian's Clo. *Wokgm*
—1A 20
Salamanca. *Crowt* —3A 20
Sale Garden Cotts. *Wokgm*
—1G 11
Salisbury Clo. *Wokgm* —4E 11
Salisbury Rd. *B'water* —5E 23
Saltire Gdns. *Brack* —4A 6
Salwey Clo. *Brack* —3B 14
Samian Pl. *Binf* —3G 5
Sampson Pk. *Binf* —4F 5
Sandford Down. *Brack* —2F 15
Sandhurst. —3D 22
Sandhurst La. *B'water* —4D 22
Sandhurst Rd. *Crowt* —5D 20
Sandhurst Rd. *Finch* —6E 11
Sandhurst Rd. *Yat* —3B 22
Sandown Clo. *B'water* —5F 23
Sandstone Clo. *Winn* —3A 2
Sandy La. *Asc* —4H 7
(Goaters Hill)
Sandy La. *Asc* —2C 18
(Sunningdale)
Sandy La. *Brack* —4C 6
Sandy La. *Sand* —1B 22
Sandy La. *Wokgm* —2A 10
Sandy Ride. *S'hill* —1A 18
Sapphire Cen., The. *Wokgm* —2E 11
Sapphire Clo. *Wokgm* —5C 2
Sarum. *Brack* —5H 13
Sarum Cres. *Wokgm* —5H 3
Saturn Clo. *Wokgm* —6C 2
Saturn Cft. *Wink R* —2H 7
Savernake Way. *Brack* —3E 15
Savory Wlk. *Binf* —2D 4
Savoy Gro. *B'water* —6F 23
Saxon Dri. *Warf* —4F 7
Scania Wlk. *Wink R* —2H 7
School Cotts. *Asc* —4B 8
School Hill. *Crowt* —4F 21
(in two parts)
School Hill. *Sand* —1C 22
School La. *Asc* —4B 8
School Rd. *Asc* —2H 17
School Rd. *B'ham* —6H 3
Scotland Hill. *Sand* —1C 22
Scots Dri. *Wokgm* —4C 2
Scotts M. *Asc* —4H 7
Scott Ter. *Brack* —4E 7
Seaford Clo. *Wokgm* —6H 3
Seaford Rd. *Wokgm* —6H 3
Seddon Hill. *Warf* —2B 6
Seebys Oak. *Col T* —4F 23
Segsbury Gro. *Brack* —1E 15
Selborne Clo. *B'water* —4E 23
Sen Clo. *Brack* —2C 6
Setley Way. *Brack* —6F 7
Setter Combe. *Warf* —2D 6
Severn Clo. *Sand* —2E 23
Sewell Av. *Wokgm* —4E 3
Seymour Ct. *Crowt* —4A 20
Shaftesbury Clo. *Brack* —2D 14
Shaftesbury Ct. *Wokgm* —5H 3
Shakespeare Way. *Warf* —4E 7
Shaw Pk. *Crowt* —5D 20
Shefford Cres. *Wokgm* —4H 3
Shelley Av. *Brack* —5E 7
Shenstone Clo. *Finch* —6E 11
Shenstone Pk. *S'hill* —1A 18
Shepherds Hill. *Brack* —4C 6
Shepherds La. *Brack* —3A 6
Shepherds Way. *Crowt* —4A 20
Shepley Dri. *Asc* —3E 19
Shepley End. *Asc* —2E 19
Sheraton Clo. *B'water* —6G 23
Sherbourne Dri. *Asc* —2F 19
Sheridan Grange. *Asc* —3C 18
Sheridan Way. *Wokgm* —1C 10
Sherring Clo. *Brack* —3C 6
Sherwood Clo. *Brack* —5G 7
Sherwood Rd. *Winn* —2A 2
Shiplake Ho. *Brack* —1F 15
Shires, The. *Wokgm* —2C 10
Shorland Oaks. *Brack* —2C 6

Shrivenham Clo. *Col T* —2F **23**
Shropshire Gdns. *Warf* —3F **7**
Shrubbs Hill La. *Asc* —3E **19**
Shrubs Hill. —3E 19
Shute End. *Wokgm* —6F **3**
Sidbury Clo. *Asc* —2C **18**
Silver Birches. *Wokgm* —3A **10**
Silver Hill. *Col T* —2G **23**
Silwood. *Brack* —5G **13**
Silwood Clo. *Asc* —5H **9**
Silwood Rd. *Asc* —1B **18**
Simkin's Clo. *Wink R* —2H **7**
Simmonds Clo. *Brack* —4G **5**
Simon's La. *Wokgm* —6A **2**
(in two parts)
Sirius Clo. *Wokgm* —6C **2**
Skelton Fields. *Warf* —3C **6**
Skimped Hill. —5B 6
Skimped Hill La. *Brack* —5A **6**
Slaidburn Grn. *Brack* —4E **15**
Smith Sq. *Brack* —5D **6**
Smiths Wlk. *Wokgm* —6D **2**
Snowberry Clo. *Wokgm* —1D **10**
Snowdrop Gro. *Winn* —1A **2**
Somerset Clo. *Wokgm* —6B **2**
Somerset Gro. *Warf* —3F **7**
Somerville Clo. *Wokgm* —2B **10**
Somerville Cres. *Yat* —4A **22**
Sonninge Clo. *Col T* —2F **23**
Sorrel Clo. *Wokgm* —4A **4**
Southampton Clo. *B'water* —4E **23**
South Ascot. —3E 17
South Clo. *Wokgm* —6G **3**
(Peach St.)
South Clo. *Wokgm* —2G **11**
(South Dri.)
South Dri. *Wokgm* —1G **11**
Southern Industrial Area,
                    Bracknell. —6G 5
S. Hill Rd. *Brack* —3A **14**
Southlands Clo. *Wokgm* —1H **11**
Southlands Rd. *Wokgm* —2H **11**
S. Lynn Cres. *Brack* —2B **14**
South Mdw. *Crowt* —5F **21**
South Rd. *Crowt* —5G **21**
South Rd. *Wokgm* —4F **13**
South Vw. *Brack* —6F **5**
Southwick Ct. *Brack* —3E **15**
Southwold. *Brack* —5G **13**
Southwood. *Wokgm* —2H **11**
Sovereign Ct. *Asc* —4D **18**
Sparrow Clo. *Wokgm* —1C **10**
Spencer Clo. *Wokgm* —6B **2**
Spencer Rd. *Brack* —4H **5**
Spinis. *Brack* —5H **13**
Spinner Grn. *Brack* —2B **14**
Spinney, The. *Asc* —2A **18**
Spinney, The. *Finch* —6D **10**
Splash, The. *Binf* —2B **6**
Springcross Av. *B'water* —6F **23**
Springdale. *Finch* —6C **10**
Springfield Rd. *Brack* —5E **5**
Spring Gdns. *N Asc* —3C **8**
Spring Gdns. *S Asc* —1F **17**
Springhill Ct. *Brack* —1B **14**
Springmead Ct. *Sand* —1G **23**
Spring Mdw. *Brack* —4D **6**
Spring Woods. *Sand* —1E **23**
Square, The. *Brack* —1E **15**
Squirrel Clo. *Sand* —2D **22**
Squirrels Drey. *Crowt* —3B **20**
Stable Vw. *Yat* —3A **22**
Staff College Rd. *Camb* —4H **23**
Staffordshire Cft. *Warf* —2F **7**
Stanhope Rd. *Camb* —6H **23**
Stanley Rd. *Wokgm* —6A **4**
Stanley Wlk. *Brack* —5C **6**
Stanmore Clo. *Asc* —1E **17**
Staplehurst. *Brack* —4G **13**
Starling Clo. *Wokgm* —1D **10**
Starmead Dri. *Wokgm* —1H **11**
Statham Ct. *Brack* —4G **5**
Station App. *B'water* —6G **23**
Station App. *Wokgm* —6F **3**
Station Hill. *Asc* —6E **9**
Station Ind. Est. *Wokgm* —6E **3**
Station Pde. *S'dale* —4C **18**
Station Rd. *Asc & S'dale* —3C **18**
Station Rd. *Brack* —5B **6**
Station Rd. *Wokgm* —6F **3**
Staverton Clo. *Brack* —3B **6**
Staverton Clo. *Wokgm* —6B **4**
Stayne End. *Vir W* —1H **19**
Steeforth Copse. *Owl* —6G **21**

Steeple Point. *Asc* —6F **9**
Stephanie Chase Ct. *Wokgm*
                    —5H **3**
Sterling Cen. *Brack* —5D **6**
Sterling Gdns. *Col T* —2G **23**
Stevens Hill. *Yat* —5A **22**
Stevenson Dri. *Binf* —1E **5**
Stilwell Clo. *Yat* —4A **22**
Stokeford Clo. *Brack* —2F **15**
Stonehill Ga. *Asc* —3H **17**
Stoney Rd. *Brack* —4A **6**
Stratfield. *Brack* —5G **13**
Strawberry Hill. *Warf* —2E **7**
Strood La. *Asc* —2G **9**
Stroud La. *B'water* —6C **22**
Stubbs Folly. *Col T* —3F **23**
Sturges Rd. *Wokgm* —1G **11**
Suffolk Clo. *Wokgm* —6B **2**
Suffolk Combe. *Warf* —3F **7**
Summerfield Clo. *Wokgm* —3D **2**
Summit Clo. *Finch* —5B **10**
Sundew Clo. *Wokgm* —5A **4**
Sunning Av. *Asc* —4A **18**
Sunningdale. —3B 18
Sunningdale Golf Course. —5C **18**
Sunninghill. —2H 17
Sunninghill Park. —3H 9
Sunninghill Rd. *Asc* —2H **17**
Sunninghill Rd. *W'sham* —6E **17**
Sunninghill Rd. *Wokgm* —2D **2**
Sunninghill Rd. *Wink & Asc*
                    —1H **9**
Sunnybank. *Asc* —1E **17**
Sun Ray Est. *Sand* —2C **22**
Surrey Ct. *Warf* —3F **7**
Sutherland Chase. *Asc* —4C **8**
Swaledale. *Brack* —2A **14**
Swallow Way. *Wokgm* —1C **10**
Swancote Grn. *Brack* —2B **14**
Swan La. *Sand* —3D **22**
Sweetbriar. *Crowt* —1C **20**
Sweetwell Rd. *Brack* —5G **5**
Swift Clo. *Wokgm* —1C **10**
Swinley Rd. *Asc* —6A **8**
Swithin Chase. *Warf* —3E **7**
Sycamore Clo. *Sand* —3D **22**
Sycamore Ri. *Brack* —6D **6**
Sycamores, The. *B'water* —5D **22**
Sydney Clo. *Crowt* —1E **21**
Sylvan Ridge. *Sand* —1C **22**
Sylvanus. *Brack* —4H **13**
Sylverns Ct. *Warf* —3D **6**
Sylvester Clo. *Wokgm* —1B **2**
Symondson M. *Binf* —1E **5**

Talisman Clo. *Crowt* —3A **20**
Tamarisk Ri. *Wokgm* —5G **3**
Tamar Way. *Wokgm* —6C **2**
Tamworth. *Brack* —4D **14**
Tanglewood. *Finch* —6E **11**
Tangley Dri. *Wokgm* —2F **11**
Tanhouse La. *Wokgm* —1E **11**
Tank Rd. *Sand* —5H **23**
Tarbat Ct. *Col T* —2F **23**
Target Hill. *Warf* —3D **6**
Targett Ct. *Winn* —2A **2**
Tarnbrook Way. *Brack* —4E **15**
Tarragon Clo. *Brack* —3D **6**
Tarrant Grn. *Warf* —2C **6**
Tattersall Clo. *Wokgm* —1A **12**
Tawfield. *Brack* —4G **13**
Tawny Cft. *Sand* —2G **23**
Tebbit Clo. *Brack* —5D **6**
Telford Av. *Crowt* —1E **21**
Templar Clo. *Sand* —2C **22**
Temple Way. *Brack* —4G **5**
Tenby Dri. *Asc* —2H **17**
Teresa Va. *Warf* —2E **7**
Terrace Rd. N. *Binf* —1E **5**
Terrace Rd. S. *Binf* —2E **5**
Terrace, The. *Asc* —2H **17**
Terrace, The. *Camb* —5H **23**
Terrace, The. *Crowt* —3F **21**
Terrace, The. *Wokgm* —6F **3**
Textile Est. *Yat* —3A **22**
Theal Clo. *Col T* —2F **23**
Thibet Rd. *Sand* —2E **23**
Thomas Dri. *Warf* —3E **7**
Thomas La. *Finch* —6C **10**
Thorburn Chase. *Col T* —4G **23**
Thornbury Clo. *Crowt* —3D **20**
Thorn Clo. *Wokgm* —3B **10**

Thorne Clo. *Crowt* —1C **20**
Thornhill. *Brack* —1E **15**
Thorp Clo. *Binf* —1E **5**
Thorpe Clo. *Wokgm* —3E **11**
Threshfield. *Brack* —2A **14**
Tichborne Clo. *B'water* —5F **23**
Tickenor Dri. *Finch* —5B **10**
Tidwells Lea. *Warf* —4E **7**
Tiffany Clo. *Wokgm* —6B **2**
Tigerseye Clo. *Wokgm* —5B **2**
Tilehurst La. *Binf* —1E **5**
Timberley Pl. *Crowt* —4A **20**
Timline Grn. *Brack* —5F **7**
Tinkers La. *S'dale* —3D **18**
Tintagel Rd. *Finch* —6E **11**
Tippits Mead. *Brack* —4F **5**
Tithe Ct. *Wokgm* —5G **3**
Titlarks Hill. *Asc* —6D **18**
Toad La. *B'water* —6G **23**
Tocker Gdns. *Warf* —2B **6**
Toll Gdns. *Brack* —6F **7**
Tolpuddle Way. *Yat* —5B **22**
Toogood Pl. *Warf* —1D **6**
Topaz Clo. *Wokgm* —5C **2**
Top Common. *Warf* —3D **6**
Totale Ri. *Warf* —2B **6**
Tottenham Wlk. *Owl* —1F **23**
Tourist Info. Cen. —5D **14**
Toutley Clo. *Wokgm* —3C **2**
Toutley Rd. *Wokgm* —2D **2**
Towers Dri. *Crowt* —4D **20**
Townsend Clo. *Brack* —2E **15**
Town Sq. *Brack* —5C **6**
Trade Dri. *Owl* —6G **21**
Trafalgar Clo. *Wokgm* —6C **2**
Trafalgar Way. *Camb* —6H **23**
Travis La. *Sand* —3E **23**
Trefoil Clo. *Wokgm* —5A **4**
Trent Clo. *Wokgm* —5C **2**
Trevelyan. *Brack* —4G **13**
Trilakes Country Pk. —3B **22**
Trindledown. *Brack* —2A **6**
Trinity. *Owl* —6G **21**
Trinity Ct. *Wokgm* —5D **2**
Trinity Cres. *Asc* —2C **18**
Troon Ct. *S'hill* —2G **17**
Trotsford Mdw. *B'water* —6E **23**
Trotwood Clo. *Owl* —6G **21**
Trumbull Rd. *Brack* —3A **6**
Truss Hill Rd. *Asc* —2G **17**
Tudor Clo. *Wokgm* —1B **12**
Tudor Dri. *Yat* —6A **22**
Tudor Ho. *Brack* —2B **14**
Turing Dri. *Brack* —3A **14**
Turnberry. *Brack* —3G **13**
Turner Pl. *Col T* —4F **23**
Turnpike Rd. *Brack* —5F **5**
Tuscam Way. *Camb* —6H **23**
Twycross Rd. *Wokgm* —5A **4**
Twyford Rd. *Wokgm & Hurst* —4F **3**
Tytherton. *Brack* —5C **6**

Uffington Dri. *Brack* —1E **15**
Ullswater. *Brack* —4H **13**
Underwood. *Brack* —3G **13**
Underwood Ct. *Binf* —2E **5**
Union Clo. *Owl* —6G **21**
Upavon Gdns. *Brack* —2F **15**
Uplands Clo. *Sand* —2D **22**
Up. Broadmoor Rd. *Crowt* —3E **21**
Upper Nursery. *Asc* —2C **18**
Up. Star Post Ride. *Crowt* —6B **14**
Up. Village Rd. *Asc* —2G **17**
Upshire Gdns. *Brack* —1F **15**

Valley Cres. *Wokgm* —4E **3**
Valley Vw. *Sand* —3C **22**
Vandyke. *Brack* —3G **13**
Venus Clo. *Wokgm* —6D **2**
Vermont Woods. *Finch* —5A **10**
Vernon Dri. *Asc* —5B **8**
Vicarage Clo. *Finch* —6B **10**
Vicarage Gdns. *Asc* —2E **17**
Vicarage Rd. *B'water* —6G **23**
Victoria Dri. *B'water* —6E **23**
Victoria Rd. *Asc* —2E **17**
Victoria Rd. *Owl* —1G **23**
Viking. *Brack* —2G **13**
Villiers Mead. *Wokgm* —6E **3**
Vincent Ri. *Brack* —6E **7**
Vines, The. *Wokgm* —5A **4**
Viola Cft. *Warf* —4F **7**

Vulcan Clo. *Sand* —3C **22**
Vulcan Ct. *Sand* —3C **22**
Vulcan Way. *Sand* —3C **22**

Wadham. *Owl* —1H **23**
Wagbullock Ri. *Brack* —3C **14**
Wainscot. *Asc* —3B **18**
Wainwright Clo. *Wokgm* —6C **4**
Walbury. *Brack* —1E **15**
Waldorf Heights. *B'water* —6F **23**
Waldron Hill. *Brack* —4F **7**
Wallcroft Clo. *Binf* —3G **5**
Wallingford Clo. *Brack* —1E **15**
Wallner Way. *Wokgm* —1A **12**
Walmer Clo. *Crowt* —3E **21**
Walnut Clo. *Wokgm* —1D **10**
Walnut Clo. *Yat* —6A **22**
Walsh Av. *Warf* —3E **7**
Walter Rd. *Wokgm* —4C **2**
Waltham Clo. *Owl* —1F **23**
Walton Dri. *Asc* —4D **8**
Wanstraw Gro. *Brack* —4E **15**
Wantage Clo. *Brack* —2E **15**
Wantage Rd. *Col T* —2F **23**
Ward Clo. *Wokgm* —4H **3**
Wards Stone Pk. *Brack* —4E **15**
Wareham Rd. *Brack* —1F **15**
Warfield Park. —3G 7
Warfield Rd. *Brack* —2C **6**
Warfield St. *Warf* —1C **6**
Wargrove Dri. *Col T* —2F **23**
Warner Ct. *Col T* —3G **23**
Warren Clo. *Finch* —6B **10**
Warren Clo. *Sand* —2C **22**
Warren Down. *Brack* —4G **5**
Warren Ho. Rd. *Wokgm* —4G **3**
Warren La. *Finch* —6A **10**
Warren Row. *Asc* —5B **8**
Warren, The. —1F 15
Warren, The. *Brack* —1G **15**
Warwick. *Brack* —3E **15**
Wasdale Clo. *Owl* —6F **21**
Waterfall Clo. *Vir W* —1H **19**
Waterford Way. *Wokgm* —6G **3**
Waterham Rd. *Brack* —3B **14**
Waterloo Clo. *Wokgm* —1A **12**
Waterloo Cres. *Wokgm* —1A **12**
Waterloo Pl. *Crowt* —4D **20**
Waterloo Rd. *Crowt* —4C **20**
Waterloo Rd. *Wokgm* —1A **12**
Waterside Pk. Ind. Est. *Brack* —5G **5**
(Cain Rd.)
Waterside Pk. Ind. Est. *Brack* —4H **5**
(Western Rd.)
Watersplash La. *Asc* —4H **9**
Watersplash La. *Warf* —2B **6**
Watkins Clo. *Finch* —5A **10**
Watmore La. *Winn* —1B **2**
Watson Clo. *Wokgm* —5C **10**
Waverley. *Brack* —2G **13**
Waverley Way. *Wokgm* —5G **3**
Wayland Clo. *Brack* —1F **15**
Weaver Moss. *Sand* —3D **22**
Webb Clo. *Binf* —3G **5**
Webb Ct. *Wokgm* —4A **4**
Wedderburn Clo. *Winn* —2B **2**
Welbeck. *Brack* —2G **13**
Welby Cres. *Winn* —3A **2**
Wellburn Clo. *Sand* —3D **22**
Wellesley Dri. *Crowt* —3A **20**
Wellington Av. *Crowt* —4A **20**
Wellington Bus. Pk. *Crowt* —4A **20**
Wellington Clo. *Sand* —2E **23**
Wellington Dri. *Brack* —2D **14**
Wellington Rd. *Crowt* —4A **20**
Wellington Rd. *Wokgm* —6F **3**
Wellington Ter. *Sand* —2E **23**
Wells La. *Asc* —6F **9**
(in two parts)
Wentworth. —2G 19
Wentworth Av. *Asc* —5A **8**
Wentworth Clo. *Crowt* —2B **20**
Wentworth Clo. *Yat* —5A **22**
Wentworth Dri. *Vir W* —1H **19**
Wentworth Golf Course. —2H **19**
Wentworth Way. *Asc* —5A **8**
Wescott Rd. *Wokgm* —6A **3**
Westbourne Rd. *Col T* —3G **23**

Westbrook Gdns. *Brack* —4C **6**
Westbury Clo. *Crowt* —2D **20**
Westcombe Clo. *Brack* —4E **15**
Westcotts Grn. *Warf* —2D **6**
West Dri. *Asc & Vir W* —2F **19**
(in two parts)
West End. —1B 6
W. End La. *Warf* —2B **6**
W. End Rd. *Warf* —1B **6**
Western Cen., The. *Brack* —5H **5**
Western Industrial Area,
Bracknell. —5H 5
Western Rd. *Brack* —4G **5**
Westfield Rd. *Winn* —2A **2**
West Fryerne. *Yat* —2A **22**
Westmorland Clo. *Wokgm* —6B **2**
Westmorland Dri. *Warf* —2F **7**
West Rd. *Wokgm* —4D **12**
Westward Rd. *Wokgm* —5D **2**
Westwates Clo. *Brack* —4D **6**
Westwood Rd. *W'sham* —6A **18**
Weybridge Mead. *Yat* —3A **22**
Weycrofts. *Brack* —3H **5**
Whaley Rd. *Wokgm* —4H **3**
Wharfedale Rd. *Winn* —1A **2**
Whatley Grn. *Brack* —3B **14**
Wheatley. *Brack* —2G **13**
Wheeler Clo. *Wokgm* —1D **10**
Whistler Gro. *Col T* —4F **23**
Whistley Clo. *Brack* —6E **7**
Whitebeam Clo. *Wokgm* —3B **10**
White City. *Crowt* —3F **21**
(in two parts)
White Hart Ind. Est. *B'water* —6G **23**
Whitelands Dri. *Asc* —4B **8**
White Rd. *Col T* —4H **23**
Whitmore Clo. *Owl* —2F **23**
Whitmore La. *Asc* —2C **18**
Whittle Clo. *Finch* —5A **10**
Whittle Clo. *Sand* —1C **22**
Whitton Rd. *Brack* —6F **7**
Whynstones Rd. *Asc* —3E **17**
Wickham Va. *Brack* —3G **13**
Wick Hill La. *Finch* —6B **10**
(in three parts)
Wick's Grn. *Binf* —1D **4**
Wiggett Gro. *Binf* —2E **5**
Wilberforce Way. *Brack* —2D **14**

Wild Briar. *Finch* —5B **10**
Wildcroft Dri. *Wokgm* —5E **11**
Wilders Clo. *Brack* —3A **6**
Wildmoor Heath Nature
Reserve. —6E 21
Wildridings. —1A 14
Wildridings Rd. *Brack* —1A **14**
Wildridings Sq. *Brack* —1A **14**
William Sim Wood. *Wink R* —2H **7**
Willoughby Rd. *Brack* —6H **5**
Willow Ct. *Brack* —4A **6**
Willowdale. *Finch* —6D **10**
Willow Dri. *Brack* —4C **6**
Willowherb Clo. *Wokgm* —5A **4**
Willow La. *B'water* —6F **23**
Willows End. *Sand* —2D **22**
Willows, The. *Brack* —1F **15**
Willow Way. *Sand* —1B **22**
Wilmot Clo. *Binf* —2E **5**
Wilson Ct. *Winn* —3A **2**
Wilstrode Av. *Binf* —3H **5**
Wiltshire Av. *Crowt* —2D **20**
Wiltshire Dri. *Wokgm* —5H **3**
Wiltshire Gro. *Warf* —2F **7**
Wiltshire Rd. *Wokgm* —4G **3**
Wilwood Rd. *Brack* —4G **5**
Wimbushes. *Finch* —6A **10**
Winch Clo. *Binf* —1E **5**
Winchester Way. *B'water* —4E **23**
Winchgrove Rd. *Brack* —3A **6**
Windermere Clo. *Winn* —1A **2**
Windlebrook Grn. *Brack* —4A **6**
Windlesham Rd. *Brack* —4H **5**
Windmill Av. *Wokgm* —4C **2**
Windmill Clo. *Wokgm* —4C **2**
Windmill Rd. *Brack* —4H **5**
Windrush Heights. *Sand* —2C **22**
Windsor Ct. *Brack* —1C **14**
Windsor Ride. *Brack & Asc* —3F **15**
Windsor Ride. *Crowt* —6E **15**
Windsor Ride. *Finch* —5B **10**
Windsor Rd. *Asc & Wink* —6C **8**
Winkfield Clo. *Wokgm* —3F **11**
Winkfield Rd. *Asc* —2E **9**
Winkfield Row. —1H 7
Winkfield Row. *Wink R* —1G **7**
Winnersh. —2A 2
Winnersh Ga. *Winn* —2B **2**

Winnersh Gro. *Winn* —3A **2**
Winscombe. *Brack* —2G **13**
Winterbourne Ct. *Brack* —5D **6**
Winton Cres. *Yat* —5A **22**
Wisteria Clo. *Wokgm* —1D **10**
Wittenham Rd. *Brack* —4F **7**
Wokingham. —6G 3
WOKINGHAM HOSPITAL. —6E 3
Wokingham Rd. *Brack* —4G **5**
Wokingham Rd. *Crowt & Sand*
—4A **20**
Wokingham Theatre. —4F **3**
Wokingham Without. —6B 12
Wondesford Dale. *Binf* —1E **5**
Woodbine Clo. *Sand* —3E **23**
Woodbridge Rd. *B'water* —5D **22**
Woodby Dri. *Asc* —4B **18**
Wood End. —2F 9
Wood End. *Crowt* —4B **20**
Woodend Clo. *Asc* —4C **8**
Woodend Dri. *Asc* —2F **17**
Woodend Ride. *Asc & WinK* —3F **9**
Woodenhill. *Brack* —4G **13**
Woodford Grn. *Brack* —1F **15**
Woodhall La. *Asc* —6A **18**
Woodhouse St. *Binf* —4G **5**
Woodhurst La. *Wokgm* —3D **2**
Woodies Clo. *Brack* —3E **5**
Woodland Cres. *Brack* —3C **6**
Woodlands Av. *Winn* —5B **2**
(in two parts)
Woodlands Clo. *Asc* —3D **16**
Woodlands Ct. *Owl* —1H **23**
Woodlands Ride. *Asc* —3D **16**
Woodlands, The. *Wokgm* —2B **10**
Wood La. *Binf* —2F **5**
Woodmancott Clo. *Brack* —3F **15**
Woodmere. *Brack* —1E **15**
Woodpeckers. Brack —1B **14**
(off Crowthorne Rd.)
Woodpecker Wlk. *Wokgm* —1C **10**
Woodridge Clo. *Brack* —6C **6**
Woodrow Dri. *Wokgm* —6A **4**
Woodside. —1G 9
Woodside. *B'water* —6E **23**
Woodside. *Ryl M* —3H **23**
Woodside Clo. *Finch* —6C **10**
Woodside La. *Wink* —1G **9**

Woodside Rd. *Wink* —1F **9**
Woodville Clo. *B'water* —5D **22**
Woodward Clo. *Winn* —2B **2**
Woolf Dri. *Wokgm* —5F **3**
Woolford Clo. *Brack* —3H **7**
Woolhampton Way. *Brack* —2D **14**
Woose Hill. —6D 2
Woosehill. *Wokgm* —6C **2**
Woosehill Cen. *Wokgm* —6D **2**
Woosehill Ct. *Wokgm* —5D **2**
Woosehill La. *Wokgm* —6D **2**
Worcestershire Lea. *Warf* —3F **7**
Wordsworth. *Brack* —2G **13**
Worlds End Hill. *Brack* —3F **15**
Wren Clo. *Wokgm* —1C **10**
Wroxham. *Brack* —2H **13**
Wulwyn Ct. *Crowt* —3B **20**
Wulwyn Side. *Crowt* —3B **20**
Wychwood Av. *Brack* —1F **15**
Wylam. *Brack* —2H **13**
Wyldewoods. *Asc* —3H **17**
Wyndham Clo. *Yat* —3A **22**
Wyresdale. *Brack* —4E **15**
Wythemede. *Binf* —2D **4**
Wyvern Clo. *Brack* —1B **14**

Yale Clo. *Owl* —6H **21**
Yardley. *Brack* —2H **13**
Yarnold Clo. *Wokgm* —5B **4**
Yateley. —4A 22
Yateley Common Country Pk. —6A **22**
Yateley Rd. *Sand* —2B **22**
Yeovil Rd. *Owl* —1F **23**
Yew Clo. *Wokgm* —1D **10**
York Ho. *Brack* —4H **5**
York Rd. *Binf* —1F **5**
Yorkshire Pl. *Warf* —3E **7**
York Town. —5H 23
York Town Ind. Est. *Camb* —6H **23**
Yorktown Rd. *Sand & Col T* —2C **22**
York Way. *Sand* —2D **22**

Zinnia Clo. *Wokgm* —5B **2**